Dashiell Hammett

Le faucon
de Malte

*Traduit de l'américain
par Henri Robillot*

Gallimard

La contribution de Dashiell Hammett à l'histoire du roman noir est d'une importance capitale. Pionnier de la fameuse *Hard-boiled School*, au début des années vingt, il a donné ses lettres de noblesse à un nouveau genre, grâce à la qualité de son écriture et à la densité de ses histoires et de ses personnages.

A Jose

I

SPADE ET ARCHER

Sam Spade avait la mâchoire inférieure lourde et osseuse. Son menton saillait, en V, sous le V mobile de la bouche. Ses narines se relevaient en un autre V plus petit. Seuls, ses yeux gris jaune coupaient le visage d'une ligne horizontale. Le motif en V reparaissait avec les sourcils épais, partant de deux rides jumelles à la racine du nez aquilin et les cheveux châtain très pâle, en pointe sur le front dégarni, découvrant les tempes. Il avait quelque chose d'un sympathique Méphisto blond.

— Qu'est-ce qu'il y a, mon petit ? dit-il à Effie Perine.

La jeune fille, bronzée, grande — une fausse maigre — portait une robe de lainage mince qui moulait ses formes comme un drap mouillé. Ses yeux bruns riaient dans un visage lumineux d'adolescent. Elle ferma la porte derrière elle et s'adossa au battant.

— C'est une femme qui voudrait te voir, dit-elle. Elle s'appelle Miss Wonderly.

— Une cliente ?

— Je crois. De toute façon, tu aurais envie de la voir. Elle est formidable.

— Fais entrer, chérie, fais entrer, dit Spade.

Effie Perine rouvrit la porte qui communiquait avec le bureau de réception. Sans lâcher le bouton, elle s'effaça.

— Voulez-vous entrer, Miss Wonderly ?

Une voix répondit : « Merci ! » si doucement que seule une parfaite articulation permit d'entendre les deux syllabes. La jeune femme entra lentement, un peu hésitante, attachant sur Spade le regard à la fois timide et scrutateur de deux yeux bleu de cobalt.

Elle était grande et mince, mais sans rien d'anguleux, la poitrine haute, les jambes longues, les attaches fines. Elle portait un « ensemble » en deux nuances de bleu, choisies sans doute pour faire valoir ses yeux. Elle avait, sous un chapeau bleu, des cheveux fauves et bouclés. Ses lèvres pourpres s'entrouvraient pour un timide sourire sur des dents éclatantes de blancheur.

Spade se leva, s'inclina et désigna de sa forte main un fauteuil de chêne. Il avait environ un mètre quatre-vingts. Ses épaules tombantes donnaient à son buste une forme conique : il avait un torse aussi profond que large, sur lequel flottait un veston gris qui sortait du pressing.

Miss Wonderly murmura de nouveau : « Merci », et s'assit sur le bord du siège.

Spade se renfonça dans son fauteuil tournant. D'un coup de reins, il le fit pivoter d'un quart de tour et sourit poliment. Il souriait sans desserrer les lèvres : tous les V de son visage s'allongèrent.

Le cliquetis amorti et le timbre grêle de la machine à écrire d'Effie Perine résonnaient de l'autre côté du mur. Quelque part dans le building, un moteur vibrait sourdement. Sur le bureau de Spade une cigarette fumait dans un cendrier de cuivre rempli de mégots. De légers flocons de cendres étaient répandus sur le bois verni, le buvard vert et les papiers étalés. Par une fenêtre entrouverte derrière un rideau beige, pénétrait un courant d'air vaguement parfumé d'ammoniaque. Sur le bureau, les cendres frémissaient et se déplaçaient dans ce courant d'air.

Miss Wonderly, les yeux fixés sur les flocons gris, paraissait gênée. Elle était assise sur l'extrême bord du fauteuil, les pieds posés à plat sur le sol comme si elle était prête à se lever. Ses mains, gantées de sombre, serraient un sac noir et plat.

Spade se renversa dans son fauteuil et demanda :

— Voyons. Que puis-je faire pour vous, Miss Wonderly ?

Elle retint son souffle et le regarda. Puis elle déglutit et dit, très vite :

— Pourriez-vous ?... Je pensais... C'est-à-dire...

Elle s'interrompit et mordilla nerveusement sa lèvre inférieure. Seul, son regard suppliait.

Spade sourit et hocha la tête, comme s'il comprenait, gentiment, sans prendre la chose trop au sérieux.

— Si vous me racontiez tout depuis le début, dit-il, ensuite nous verrons, partez du plus loin possible.

— C'était à New York.

— Oui.

— Je ne sais pas où elle l'a rencontré. Je veux dire que j'ignore dans quel endroit de New York. Elle a cinq ans de moins que moi — dix-sept ans — et nous n'avions pas les mêmes amis. Je crois bien que nous n'avons jamais été deux sœurs. Papa et maman sont en Europe. Ils en mourraient. Il faut absolument qu'elle rentre avant leur retour.

— Oui.

— Ils seront là le premier du mois prochain.

— Cela nous laisse deux semaines, dit Spade, les yeux soudain brillants.

— J'ignorais ce qu'elle avait fait... jusqu'à ce qu'elle m'eût écrit. J'étais folle. (Ses lèvres tremblaient ; sur ses genoux, elle triturait son sac à main.) J'avais trop peur qu'elle ait fait une chose de ce genre pour m'adresser à la police et la crainte qu'il lui soit arrivé quelque chose me pressait en même temps de le faire. Je ne savais à qui demander conseil. Je ne savais vraiment pas quoi faire. Que pouvais-je faire ?

— Rien, bien sûr, dit Spade. Et alors, vous avez reçu la lettre ?

— Oui. Je lui ai envoyé un télégramme, lui demandant

de rentrer ; je l'ai adressé ici, poste restante. C'est la seule adresse qu'elle m'a donnée. J'ai attendu une semaine sans recevoir de réponse. Pas un mot. Et le retour de nos parents approche ! Je suis venue à San Francisco pour la retrouver. Je lui ai écrit que j'arrivais. Peut-être n'aurais-je pas dû le faire ?

— Peut-être. Il n'est pas toujours facile de savoir ce qu'il faut faire. Et vous ne l'avez pas retrouvée ?

— Non. Je lui ai écrit que je descendrais au Saint-Mark, en lui demandant de venir m'y voir même si elle n'avait pas l'intention de rentrer avec moi à la maison. Elle n'est pas venue. J'attends depuis trois jours. Elle ne m'a pas envoyé le moindre message.

Spade secoua sa tête méphistophélique, fronça les sourcils d'un air apitoyé et serra les lèvres.

— C'était horrible, reprit Miss Wonderly, s'efforçant de sourire. Je ne pouvais rester là à attendre indéfiniment sans savoir ce qui lui était arrivé, sans savoir ce qui pouvait lui arriver. (Son sourire disparut Elle frissonna.) Je ne connaissais qu'une adresse : poste restante. J'ai écrit une autre lettre et, hier après-midi, j'ai été à la poste, j'y suis restée jusqu'au soir. Elle n'est pas venue. J'y suis retournée ce matin : je n'ai pas vue Corinne, mais j'ai rencontré Floyd Thursby.

Spade hocha de nouveau la tête. Son visage s'éclaircit pour marquer soudain une vive attention.

— Il n'a pas voulu me dire où était Corinne, reprit-elle d'un ton las. Il n'a rien voulu me dire sinon qu'elle allait bien et qu'elle était heureuse. Comment le croire ? Il ne pouvait rien me dire d'autre, n'est-ce pas ?

— Sûr ! approuva Spade ; mais c'est peut-être vrai !

— Je l'espère, je l'espère de tout cœur, s'exclama-t-elle. Mais je ne puis retourner ainsi à New York sans l'avoir vue, sans même lui avoir parlé au téléphone. Il a refusé de me conduire à elle. Il a dit qu'elle ne voulait pas me voir. Je ne puis y croire. Il a promis de lui dire qu'il m'avait vue. Il l'amènera au Saint-Mark ce soir... si elle consent à l'accompagner. Mais il prétend être sûr qu'elle refusera. Il m'a promis de venir seul. Il...

Elle s'interrompit brusquement, la main devant la bouche. La porte du bureau s'ouvrit.

L'homme qui venait d'entrer avança d'un pas, fit : « Oh, pardon ! » ôta son chapeau et recula.

— Ça va, Miles, dit Spade ; entre. Miss Wonderly, je vous présente M. Archer, mon associé.

Miles Archer entra de nouveau dans le bureau, referma la porte et s'inclina en souriant devant Miss Wonderly avec un geste vague et poli de la main qui tenait son chapeau. Archer était de taille moyenne, solidement bâti et large d'épaules, le cou épais, la mâchoire lourde, dans un visage jovial et coloré ; quelques reflets gris dans ses cheveux plaqués. Il avait apparemment dépassé la quarantaine d'autant d'années que Spade avait dépassé la trentaine.

— La sœur de Miss Wonderly, dit Spade, a filé de New York avec un certain Floyd Thursby. Le couple est ici. Miss Wonderly a vu Thursby : elle a un rendez-vous avec lui, ce soir. Peut-être amènera-t-il la cadette. Ce n'est pas probable. Miss Wonderly voudrait que nous retrouvions la jeune personne pour l'enlever à ce type et la ramener chez elle.

Il se tourna vers Miss Wonderly.

— C'est bien ça, n'est-ce pas ?

— Oui, souffla-t-elle.

L'embarras, que les sourires compatissants et les hochements de tête rassurants de Spade avaient peu à peu dissipé, rosissait de nouveau son visage. Elle baissa les yeux sur le sac posé sur ses genoux et le tapota nerveusement d'un doigt ganté.

Spade cligna de l'œil vers son associé.

Miles Archer s'avança et se planta à l'angle du bureau. Tandis que Miss Wonderly considérait son sac, il l'examina. Ses petits yeux marron la détaillèrent de la tête aux pieds et

remontèrent lentement. Puis il se tourna vers Spade avec
une moue silencieuse et admirative.

Spade leva deux doigts de sa main posée à plat sur le bras
de son fauteuil, en bref signe d'avertissement.

— Ce sera très facile, déclara-t-il. Il suffira de poster un
homme à l'hôtel, ce soir, pour filer Thursby à son départ et
il nous mènera jusqu'à votre sœur. Si elle vient et consent à
repartir avec vous, tant mieux. Sinon, je veux dire si elle
refuse de quitter Thursby après que nous l'aurons retrouvée, nous tâcherons d'arranger l'affaire.

— C'est ça, appuya Archer d'une voix lourde et rauque.

Miss Wonderly releva la tête vers Spade d'un geste vif et
fronça les sourcils.

— Oh! soyez très prudents! dit-elle d'une voix altérée,
les lèvres tremblantes. J'ai atrocement peur de lui, de ce
qu'il pourrait lui faire. Elle est si jeune, et sa façon de
l'avoir amenée ici de New York est si... Pourrait-il... ne
risque-t-il pas de lui faire... du mal?

Spade sourit en caressant les bras de son fauteuil.

— Remettez-vous-en à nous, dit-il, nous nous chargeons
de lui.

— Mais, insista la jeune fille, ne pourrait-il pas...?

— C'est toujours possible, fit Spade, hochant la tête;
mais vous pouvez nous faire confiance.

— J'ai en vous une confiance absolue, dit-elle gravement,
mais je vous avertis que cet homme est dangereux. Rien ne
l'arrêterait; il n'hésiterait pas à tuer Corinne si cela devait
le tirer d'affaire, vous ne croyez pas?

— Vous ne l'avez pas menacé? demanda Spade.

— Je lui ai dit seulement que je voulais la ramener à la
maison avant le retour de nos parents pour qu'ils ne
sachent pas ce qu'elle avait fait. Je lui ai promis de ne rien
dire s'il consentait à m'aider; sinon, je l'ai prévenu que
papa le ferait certainement poursuivre. Mais je ne crois pas
qu'il m'ait crue.

— Peut-il réparer en l'épousant? demanda Archer.

La jeune fille rougit.

— Il a une femme et trois enfants en Angleterre, mur-mura-t-elle. Corinne me l'a écrit pour m'expliquer les raison de sa fugue.

— C'est généralement le cas, observa Spade, même si ça n'est pas toujours en Angleterre. (Il se pencha en avant pour prendre un crayon et un bloc-notes.) De quoi a-t-il l'air ? demanda-t-il.

— Il a trente-cinq ans environ ; aussi grand que vous, très brun naturellement ou très bronzé, des cheveux noirs, des sourcils épais. Il parle haut ; il est nerveux, irritable, et donne l'impression d'être violent.

Spade, griffonnant sur le bloc, demanda, sans lever la tête :

— Les yeux, quelle couleur ?

— Bleu gris, aqueux, mais pas larmoyants, et... ah ! oui, une fossette très marquée au menton.

— Mince, moyen ou costaud ?

— Très athlétique. Large d'épaules, il marche très droit : un peu l'allure d'un militaire. Il portait ce matin un complet et un chapeau gris.

— De quoi vit-il ? interrogea Spade en posant son crayon.

— Je ne sais pas, dit-elle. Je n'en ai aucune idée.

— A quelle heure doit-il vous voir ?

— Après huit heures.

— Très bien, Miss Wonderly ; quelqu'un sera là. Il serait préférable...

— Monsieur Spade, coupa-t-elle, vous ou M. Archer, pourriez-vous vous occuper personnellement de l'affaire ? Je sais bien que l'homme que vous enverrez sera à la hauteur de sa tâche mais... j'ai si peur qu'il arrive malheur à Corinne ! Ne pourriez-vous pas... si je payais plus cher, bien entendu...

Elle ouvrit fébrilement son sac à main et en tira deux billets de cent dollars qu'elle posa sur le bureau de Spade.

— Est-ce suffisant ? demanda-t-elle.

— Oui, dit Archer, je me chargerai moi-même de l'affaire.

Miss Wonderly se leva et lui tendit la main d'un geste impulsif.

— Merci, merci ! s'écria-t-elle, puis elle offrit sa main à Spade en répétant.

» Merci !

— Mais non, mais non, dit Spade ; trop heureux. Pourriez-vous attendre Thursby dans le hall de l'hôtel et tâcher de vous montrer avec lui ?

— C'est entendu ! assura-t-elle, et elle renouvela ses remerciements aux deux associés.

— Et surtout ne me cherchez pas ! avertit Archer. Je vous repérerai sûrement.

Spade accompagna Miss Wonderly jusqu'à la porte du couloir. Quand il revint dans le bureau, Archer désigna du menton les deux billets en grognant avec satisfaction.

— Ils n'ont pas l'air mauvais, déclara-t-il. (Puis il en ramassa un, le plia et l'empocha.) Et ils avaient des frangins dans son sac !

Spade escamota le second billet avant de s'asseoir.

— Dis donc ! dit-il ; ne l'écorche pas trop ! Qu'est-ce que t'en penses ?

— Mignonne ! Et tu me dis de ne pas l'écorcher !

Archer eut un gros rire, sans gaieté.

— Tu l'as peut-être vue avant moi, Sam, grogna-t-il, mais j'ai parlé le premier !

Il enfouit les mains dans les poches de son pantalon et se mit à se balancer sur les talons.

— Tu vas encore bien l'arranger, celle-là, ricana Spade en découvrant une mâchoire de loup. T'es un fortiche. Ça on peut le dire.

Et il se mit à rouler une cigarette.

II

MORT DANS LE BROUILLARD

Le téléphone se mit à sonner dans l'obscurité. Après trois appels successifs, des ressorts de lit craquèrent, des doigts tâtonnèrent sur du bois, un objet petit et dur tomba sur le tapis. Puis les ressorts craquèrent de nouveau. Une voix d'homme dit :

— Allô ?... Oui, lui-même... Mort ?... Oui... Un quart d'heure... Merci !

Il y eut un déclic d'interrupteur électrique. Un plafonnier suspendu par trois chaînes dorées s'illumina. Spade, les pieds nus, en pyjama à carreaux verts et blancs, s'assit sur le bord de son lit, jeta un coup d'œil mauvais au téléphone posé sur la table de nuit et prit un cahier de papier à cigarettes maïs et un paquet de « Bull Durham ».

L'air froid et humide de la nuit entrait par les deux fenêtres ouvertes, apportant six fois par minute le hurlement lugubre de la corne de brume d'Alcatraz. Un minuscule réveil, en équilibre instable sur un livre ouvert et retourné — *Les Causes criminelles célèbres*, de Duke — marquait deux heures cinq.

Spade, de ses doigts épais, se mit à rouler soigneusement une cigarette ; il répartit avec minutie les grains de tabac au creux de la feuille pliée. Puis, déplaçant latéralement les pouces, il roula le bord du papier contre ses deux index en maintenant le cylindre tandis qu'il mouillait l'autre bord de la feuille du bout de la langue. Puis il tordit l'extrémité de la cigarette en lissant du doigt la couture humide du papier.

Spade ramassa son briquet en peau de porc et nickel tombé sur le tapis, manœuvra la molette et, sa cigarette au bec, se leva et ôta son pyjama. Ses bras, ses jambes et son torse épais et charnus, ses épaules rondes et tombantes, faisaient penser à un ours, un ours qu'on aurait rasé ; sa poitrine même était sans un poil. Il avait une peau de fillette douce et rose.

Il se gratta la nuque et se mit en devoir de s'habiller. Il passa un sous-vêtement blanc à mailles serrées, des chaussettes grises, des fixe-chaussettes noirs, des souliers marron. Quand il eut noué les lacets, il décrocha le téléphone, appela Graystone 4 500 et demanda un taxi. Il revêtit ensuite une chemise blanche à rayures vertes, un col mou, une cravate verte, le complet gris qu'il avait porté la veille, un vieux raglan de tweed et un feutre gris sombre. Quand le timbre de la porte résonna, il était en train de répartir dans ses poches tabac, argent et clés.

Au point où Bush Street, avant de plonger vers le quartier chinois, domine Stockton Street, Spade descendit et paya le chauffeur. Le brouillard nocturne de San Francisco, léger, collant, pénétrant, flottait dans la rue. A quelques pas de l'endroit où Spade avait quitté le taxi, un petit groupe d'hommes s'était formé, au coin d'une ruelle. Deux femmes et un homme étaient arrêtés sur le trottoir opposé. Il y avait des têtes aux fenêtres.

Spade traversa la chaussée entre les garde-fous métalliques qui s'ouvraient sur les escaliers crasseux, s'approcha de la rambarde et, les mains posées sur la barre humide, regarda au-dessous de lui Stockton Street.

Une auto jaillit à ses pieds en vrombissant comme soufflée de l'intérieur du tunnel et fila. A proximité du tunnel, un homme était accroupi au pied d'un panneau publicitaire où s'étalaient les affiches d'un cinéma et d'une marque d'essence devant l'espace qui séparait deux entrepôts. La tête au ras du sol, le type tentait de voir par-dessous le panneau. Une main à plat sur le trottoir, l'autre accrochée au cadre vert du panneau, étreignant le cadre de bois, il gardait sa grotesque position. Deux autres types à l'extrémité du panneau essayaient de guigner entre les planches et le mur de l'immeuble voisin. Sur le mur du bâtiment fermant le terrain vague à l'autre extrémité du panneau, se déplaçaient des ombres et des taches de lumière.

Spade quitta le parapet et remonta Bush Street vers l'attroupement qui s'était formé dans la ruelle. Un flic en uniforme qui mastiquait du chewing-gum, sous une plaque émaillée indiquant en blanc sur bleu : *Burrit Street*, leva le bras et demanda :

— Où allez-vous ?

— Je suis Sam Spade. Tom Polhaus m'a téléphoné.

— Ah oui ! dit le policeman, baissant le bras. J'vous avais pas reconnu. Ils sont là-bas.

Il jeta un pouce par-dessus son épaule.

— Sale histoire ! ajouta-t-il.

— Plutôt, approuva Spade en passant devant lui.

A proximité, dans la ruelle, une ambulance noire était arrêtée. Au-delà, sur la gauche, s'étendait une palissade, à hauteur de ceinture. De l'autre côté, le remblai dégringolait jusqu'au panneau publicitaire sur Stockton Street en contrebas.

Sur trois mètres de long, le chevron de bois supérieur de la barrière avait été arraché et pendait à l'autre extrémité. Cinq mètres plus bas émergeait du sol une grande pierre plate. Entre la pierre et la barrière, Miles Archer gisait sur le dos. Deux hommes étaient debout près du corps. L'un des deux éclairait le cadavre avec une torche électrique. D'autres circulaient sur le remblai, également munis de lampes électriques. L'un d'eux appela Spade : « Hello ! Sam ! » et remonta la pente précédé par son ombre. C'était un grand type mastoc, avec de petits yeux malins, une bouche épaisse et des joues mal rasées. Ses chaussures, ses genoux, ses mains et son menton étaient souillés d'une boue jaunâtre.

— J'ai pensé que tu voudrais le voir avant qu'on l'emmène, dit-il en enjambant la barricade.

— Merci, Tom, dit Spade. Qu'est-ce qui s'est passé ?

Il appuya son coude sur un piquet de bois et répondit par des signes de tête aux hommes en contrebas qui l'avaient reconnu.

Tom Polhaus pointa un doigt boueux vers son téton gauche.

— En plein dans le coffre, fit-il, avec ça.

Il tira de la poche de son pardessus un gros revolver qu'il tendit à Spade. Les rainures de l'arme étaient pleines de boue.

— Un Webley, anglais, hein ?

Spade ôta son coude du piquet et se pencha pour examiner le revolver, mais il n'y toucha pas.

— Oui, dit-il, Webley-Fosbery, automatique, c'est bien ça, un « 38 » huit coups. Ça ne se fabrique plus. Combien de balles tirées ?

— Un seul pruneau ! dit Tom, désignant de nouveau sa poitrine. Il devait être mort quand il a démoli la barrière.

Il mit l'arme boueuse sous le nez de Spade.

— Tu connais ça ? dit-il.

Spade fit un signe de tête affirmatif.

— J'ai déjà vu des Webley-Fosbery, répondit-il distraitement.

Puis soudain, il parla très vite :

— Il s'est fait descendre ici, hein, là où tu es. Le dos à la barrière, non ? Le type qui a tué était là, non ?

Il s'approcha de Polhaus la main levée à hauteur de la poitrine, l'index tendu.

— Il a tiré et Miles a basculé, défoncé la barrière et roulé jusqu'à la grosse pierre qui l'a arrêté. C'est ça ?

— C'est ça ! répondit lentement Tom, les sourcils froncés. A bout portant. L'étoffe du pardessus est brûlée.

— Qui l'a trouvé ?

— L'agent de service dans le quartier, Shilling. Il descendait Bush Street. Les phares d'une bagnole qui tournait ont éclairé la barrière démolie. Alors, il est monté voir.

— Et la bagnole en question ?

— Rien là-dessus, Sam. Shilling n'a pas regardé, il ne savait rien. Il n'a vu personne dans la rue en descendant Powell Street. La seule autre issue était le passage sous le panneau de publicité. Personne n'est passé par là : la terre est détrempée par le brouillard et les seules traces visibles étaient celles de la chute de Miles et du pétard.

— Personne n'a entendu tirer ?

— Mon vieux Sam ! On vient juste d'arriver ! Quelqu'un a pu entendre. On verra ça.

Il se détourna et passa une jambe par-dessus la barrière.

— Viens-tu le voir, avant qu'on l'enlève ?

— Non, dit Spade.

Tom, à califourchon, regarda Spade d'un air surpris.

— Tu l'as vu, dit Spade ; je ne pourrais rien trouver de plus que toi.

Tom hocha la tête d'un air de doute et ramena sa jambe en arrière.

— Son flingue était dans sa poche-revolver, dit-il. Il n'a pas servi. Son pardessus était boutonné. On a trouvé cent soixante dollars et des poussières sur lui. Il était sur un boulot ?

Spade, après une courte hésitation, fit signe que oui.

— Alors ? demanda Tom.

— Il était censé filer un nommé Floyd Thursby, dit Spade qui décrivit Thursby d'après le signalement fourni par Miss Wonderly.

— Pourquoi ? interrogea Polhaus.

Spade, les mains dans les poches de son pardessus, le regarda d'un air endormi.

— Pourquoi ? répéta Tom, impatient.

— C'est un Anglais, je crois. Je ne sais pas ce qu'il fricotait. On voulait savoir où il habitait.

Il esquissa un vague sourire et, retirant une main de sa poche, tapota l'épaule de Tom.

— Ne me cuisine pas, murmura-t-il. Faut que j'aille expliquer la chose à sa femme.

Et il se détourna.

Polhaus, les sourcils froncés, ouvrit la bouche et la referma sans avoir parlé. Puis il s'éclaircit la gorge, son visage se rasséréna et il dit avec une douceur un peu bourrue :

— C'est vache de se faire avoir comme ça. Miles avait ses défauts, comme nous tous, mais il avait aussi ses bons côtés.

— Bien sûr, murmura Spade sans conviction, puis il s'éloigna.

De la cabine d'une pharmacie permanente de nuit à l'angle de Bush et de Taylor Streets, Spade téléphona :

— Allô ! mon petit chou ?... Miles vient de se faire descendre... Oui, mort... Ne t'affole pas... Faut que t'ailles voir Iva... Ah, non ! moi, rien à faire... vas-y !... Ça va, t'es une bonne fille !... et qu'elle ne vienne pas au bureau... dis-lui que je la verrai... plus tard... Ne me colle pas de rendez-vous avec elle... C'est ça. T'es un ange. Salut.

Le réveil au son grêle dans la chambre de Spade marquait trois heures quarante quand il ralluma le plafonnier.

Il jeta son chapeau et son pardessus sur le lit, entra dans la cuisine et en ressortit portant un verre et une grande bouteille de bacardi. Il emplit le verre et le vida, debout. Puis il posa bouteille et verre sur la table en face de lui, s'assit sur le bord du lit et roula une cigarette. Il venait de vider son troisième bacardi et allumait sa cinquième cigarette quand la sonnette de la rue retentit. Le réveil marquait quatre heures trente.

Spade soupira, se leva et marcha vers une sorte de cabine, près de la salle de bains. Il pressa le bouton qui commandait l'ouverture de la porte d'entrée de l'immeuble, murmurant :

— Qu'elle aille se faire foutre !

Immobile devant la petite cabine sombre, il respirait à grands coups. Ses joues s'empourprèrent.

La porte de l'ascenseur s'ouvrit en cliquetant et se referma. Spade soupira de nouveau et marcha vers la porte de l'appartement. Des pas lourds, étouffés par le tapis, ébranlaient le couloir : deux personnes, des hommes certainement. Le visage de Spade s'éclaira, ses yeux perdirent leur expression harassée, désabusée. Il ouvrit d'un geste vif.

— Hello, Tom ! dit-il au grand policier ventru à qui il avait parlé dans Burrit Street. Hello, lieutenant ! dit-il à l'homme qui l'accompagnait. Entrez !

Ils firent un signe de tête et entrèrent sans dire un mot. Spade ferma la porte et les mena dans sa chambre. Tom s'assit sur le divan, près des fenêtres. Le lieutenant prit une chaise, près de la table.

C'était un homme râblé, la tête ronde et le visage carré. Il avait la moustache et les cheveux coupés court et grisonnants. Il portait une épingle de cravate faite d'une pièce d'or de cinq dollars, et, au revers de son veston, l'insigne minuscule et travaillé, enrichi de diamants, d'une société secrète quelconque.

Spade apporta deux verres de la cuisine, les emplit de bacardi, se servit, puis tendit un verre à chacun des deux policiers. Il reprit ensuite sa place sur le bord du lit, le visage calme et sans curiosité.

Il leva son verre, déclara : « A la propagation du crime ! » et le vida d'un trait.

Tom l'imita, posa son verre à terre, entre ses pieds, et s'essuya la bouche d'un index encore boueux, puis il considéra fixement le pied du lit comme si cet objet lui rappelait, vaguement, quelque souvenir.

Le lieutenant regarda son verre pendant un instant, puis l'effleura des lèvres et le reposa sur la table, près de son coude. Il examina la pièce d'un air dur, décidé, puis il regarda Tom.

Tom, gêné, se tortillait sur le canapé.

— Tu as averti la femme de Miles, Sam ? demanda-t-il, sans lever la tête.

Spade émit un grognement affirmatif.

— Comment a-t-elle pris ça ?

— Je ne connais rien aux femmes ! répondit Spade, en secouant la tête.

— Que tu dis ! murmura Tom.

Le lieutenant, les mains à plat sur les genoux, se pencha en avant. Ses yeux verts considéraient fixement Spade, avec cette sorte de rigidité qu'on attend d'une machine et que seule peut modifier la manœuvre d'un levier ou d'un bouton.

— De quel genre de flingue vous servez-vous ? demanda-t-il enfin.

— Aucun. Je n'aime pas ça. Bien entendu, il y en a plusieurs au bureau.

— J'aimerais en voir un, dit l'officier. Vous n'en avez pas ici par hasard ?

— Non.

— Vous en êtes bien sûr ?

— Cherchez, dit Spade esquissant un geste, son verre vide à la main. Foutez tout en l'air ! Je la bouclerai... si vous avez un mandat de perquisition.

— Oh ! ça va, Sam ! protesta Tom.

Spade posa son verre sur la table, se leva et fit face au lieutenant.

— Que désirez-vous, Dundy ? demanda-t-il d'une voix aussi froide que son regard.

Les yeux du lieutenant, seuls, avaient bougé pour soutenir le regard de Spade. Tom s'agita sur le canapé, respira bruyamment par le nez, puis gémit :

— On ne veut pas faire d'histoire, Sam !

Spade ignora l'intervention de Tom.

— Alors, que voulez-vous ? répéta-t-il. Accouchez. Pour qui vous prenez-vous, nom de Dieu, pour venir chez moi en essayant de me coincer ?

— C'est bon, grogna Dundy ; asseyez-vous et écoutez.

— Je m'assoirai si ça me chante, dit Spade sans bouger.

— Ne râle pas, bon Dieu ! dit Tom. Pourquoi chercher la bagarre ? Tu veux savoir pourquoi on ne t'a pas affranchi ? C'est parce que, quand je t'ai demandé qui était ce Thursby, tu m'as dit ni plus ni moins que c'était pas mes oignons. Tu ne peux pas nous faire ça, Sam ; c'est pas régulier et ça ne te mènera nulle part. On a un boulot à faire !

Dundy sauta sur ses pieds et s'approcha de Spade à le toucher.

— Je vous ai déjà averti qu'un de ces jours vous vous casseriez la gueule, lui dit-il sous le nez.

Spade eut une moue et leva les sourcils.

— Ça arrive à tout le monde, répondit-il avec une lenteur insultante.

— Cette fois c'est votre tour.

— Non, merci, dit Spade avec un sourire en secouant la tête.

Puis il cessa de sourire. Sa lèvre supérieure se retroussa de côté découvrant une canine. Ses yeux se rétrécirent, son regard se fit pesant.

— Je n'aime pas ça, dit-il, d'une voix rauque comme celle du lieutenant. Qu'est-ce que vous cherchez ici ? Dites-le ou filez et laissez-moi roupiller.

— Qui est Thursby ? demanda Dundy.

— J'ai dit à Tom ce que je savais.

— Vous lui en avez dit bougrement peu.

— C'est que j'en sais bougrement peu.

— Pourquoi le filiez-vous ?

— Miles, pas moi. Et pour une excellente raison : on était payés pour ça par un client.

— Qui est ce client ?

Le visage de Spade reprit sa sérénité. Sa voix s'adoucit.

— Vous savez bien, dit-il, d'un ton de reproche, que je ne peux pas vous le dire avant de l'avoir consulté.

— Vous me le direz ou vous le direz au juge, répliqua Dundy furieux. N'oubliez pas qu'il s'agit d'un crime.

— Peut-être. N'oubliez pas ça non plus, mon petit vieux : il y a longtemps que j'ai cessé de sangloter de désespoir parce que ma tête ne revenait pas aux flics. Je parlerai si ça me chante.

Tom quitta le canapé et vint s'asseoir sur le lit. Son visage mal rasé et souillé de boue était las et attristé.

— Sois pas vache, Sam ! gémit-il. Donne-nous une chance. Comment veux-tu qu'on épingle l'assassin de Miles si tu gardes ce que tu sais pour toi ?

— Inutile de vous casser le ciboulot, dit Spade. J'enterre mes morts moi-même.

Le lieutenant Dundy s'assit, les mains aux genoux. Ses yeux étaient comme deux disques verts.

— Je m'en doutais, dit-il, souriant brusquement. C'est exactement pour ça qu'on est venus vous voir. Hein, Tom ?

Tom émit un son inarticulé.

Spade considérait Dundy d'un air méfiant.

— C'est exactement ce que je disais à Tom, poursuivit l'officier. Je lui ai dit : « Tom, je suis sûr que Spade est un type à laver son linge en famille. » Voilà ce que je lui ai dit.

La méfiance s'évanouit du regard de Spade.

Il se tourna vers Tom et, l'œil ennuyé, demanda négligemment :

— Qu'est-ce qui démange ton copain ?

Dundy s'avança et frappa légèrement la poitrine de Spade de son index replié.

— Ceci, dit-il en détachant les syllabes et en les soulignant d'un tapotement des doigts qu'il accompagnait d'un mouvement du poignet : Thursby a été descendu devant son hôtel, trente-cinq minutes après que vous avez eu quitté Burrit Street !

Spade répondit, scandant également ses mots :

— Bas les pattes !

Dundy retira sa main, sans rien changer au ton de sa voix.

— Tom m'a dit, reprit-il, que vous aviez tellement le feu au cul que vous n'aviez même pas jeté un dernier coup d'œil sur votre associé.

— C'est vrai, Sam, grogna Tom, comme pour s'excuser. T'as filé comme un pet sur une toile cirée.

— Et vous n'êtes pas allé chez Archer pour annoncer la nouvelle à sa femme, dit le lieutenant. Nous avons téléphoné. Votre secrétaire nous a dit que vous l'aviez envoyée.

Spade fit oui de la tête, l'air figé et idiot.

Dundy releva deux doigts vers la poitrine de Spade, puis ramena vivement sa main en arrière.

— Voilà, dit-il ; dix minutes pour téléphoner à cette fille ; dix minutes pour aller chez Thursby — Geary Street — un quart d'heure au plus, reste dix minutes au moins pour l'attendre.

— Je savais donc son adresse ? demanda Spade ; et aussi qu'il n'était pas rentré chez lui directement après avoir descendu Miles ?

— Vous saviez ce que vous saviez, répliqua Dundy têtu. A quelle heure êtes-vous rentré ?

— Quatre heures moins vingt. Je me suis baladé pour réfléchir.

Le lieutenant hocha sa tête ronde :

— Nous savions que vous n'étiez pas ici à trois heures trente. Nous avons téléphoné. Par où êtes-vous passé ?

— Par Bush Street aller et retour.

— Avez-vous rencontré quelqu'un qui...

— Non, non, aucun témoin ! coupa Spade éclatant de rire. Asseyez-vous, Dundy, vous n'avez pas bu. Prends ton verre, Tom.

— Non, merci, **Sam**.

Dundy s'assit sans regarder son verre.

Spade remplit le sien, but et revint s'asseoir sur le bord du lit.

— Je suis fixé, maintenant, dit-il, regardant alternative-
ment les deux policiers, d'un air amical. Excusez-moi si je
l'ai mal pris tout à l'heure, mais cette façon de vous amener
et de me bousculer m'avait rendu nerveux. D'abord l'assas-
sinat de Miles, ensuite vos questions ! Maintenant que je
sais où vous voulez en venir, ça va mieux.

— N'en parlons plus, protesta Tom.

Le lieutenant ne dit rien.

— Thursby est mort ? demanda brusquement Spade.

Dundy hésita. Tom dit :

— Oui !

— Et je peux vous dire aussi, si vous ne le savez pas,
ajouta le lieutenant d'un air furieux, qu'il est mort sans
avoir eu le temps de l'ouvrir.

Spade roulait une cigarette.

— Qu'est-ce que vous voulez dire ? demanda-t-il sans
lever la tête ; que je le savais ?

— Je veux dire ce que je veux dire, répliqua sèchement
Dundy.

Spade leva les yeux et le regarda en souriant : il tenait sa
cigarette d'une main et son briquet de l'autre.

— Vous n'allez pas me boucler tout de suite, n'est-ce pas,
Dundy ? demanda-t-il.

Le policier le regarda durement sans répondre.

— Alors, dit Spade, je ne vois pas pourquoi je ne me
foutrais pas éperdument de ce que vous pensez, non,
Dundy ?

— Râle donc pas, Sam ! murmura Tom.

Spade mit la cigarette dans sa bouche, l'alluma et souffla
un nuage de fumée en se mettant à rire.

— Je ne serai pas méchant, Tom, promit-il. Raconte un
peu comment j'ai rectifié Thursby : j'ai oublié.

Tom émit un grognement dégoûté.

— Quatre balles dans le dos, dit Dundy. Tirées par un
« 44 » ou un « 45 », de l'autre côté de la rue, comme il allait

entrer à l'hôtel. Personne n'a rien vu, mais c'est comme ça
que ça a dû se passer.

— Il portait un Luger dans son baudrier, ajouta Tom.
Aucune balle tirée.

— Qu'est-ce qu'on sait de lui à l'hôtel ? demanda Spade.

— Rien sinon qu'il était là depuis une semaine.

— Seul ?

— Seul.

— Qu'est-ce qu'on a trouvé sur lui ? ou dans sa chambre ?

— Qu'est-ce que vous croyez ? demanda Dundy les lèvres
pincées.

Spade fit un geste circulaire.

— Quelque chose sur son identité, son boulot, dit-il.

— On croyait que vous pourriez nous dire tout ça.

Spade regarda le lieutenant de ses yeux gris-jaune avec
un air de candeur exagéré.

— Je n'ai jamais vu Thursby, déclara-t-il ; ni vivant, ni
mort.

Dundy se leva. Il paraissait mécontent. Tom l'imita et
s'étira en bâillant.

— Nous vous avons demandé ce que nous voulions, dit
Dundy les sourcils froncés, et les yeux comme deux pierres
vertes.

Il parlait, la lèvre supérieure serrée contre les dents,
poussant les mots de sa lèvre inférieure.

— On vous en a dit plus que vous ne nous en avez servi.
C'est correct, non ? Vous me connaissez, Spade. Coupable
ou non, je serai toujours régulier avec vous. Je ne crois pas
que je vous sonnerais les cloches si vous aviez liquidé
Thursby, mais je vous bouclerais quand même.

— Correct, dit Spade, tranquillement. Mais ça me plai-
rait encore plus si vous vidiez votre verre.

Le lieutenant se tourna vers la table, saisit son verre et le
vida lentement. Puis il dit « Bonsoir ! » et tendit sa main
ouverte à Spade qui la serra gravement. Tom et Spade
échangèrent une poignée de main également cérémonieuse.

Spade les accompagna jusqu'à la porte. Puis il se désha-
billa, éteignit et se coucha.

III

TROIS FEMMES

Quand Spade arriva à son bureau, le lendemain matin
vers dix heures, Effie Perine ouvrait le courrier. Elle avait
une mine de papier mâché sous son hâle.

— Elle est là! prévint-elle à voix basse en posant les
enveloppes et le coupe-papier de cuivre.

— Je t'avais demandé de m'éviter ça, dit Spade, très bas,
avec un soupir.

Effie Perine écarquilla les yeux.

— Oui, mais tu ne m'as pas dit comment m'y prendre,
murmura-t-elle d'une voix irritée.

Puis elle fronça les sourcils ; ses épaules s'abaissèrent.

— Ne râle pas, Sam! dit-elle d'un ton las. Je l'ai eue sur
les bras toute la nuit.

Spade s'approcha de la jeune fille, lui posa une main sur
la tête et se mit à lui lisser doucement les cheveux de part et
d'autre de la raie qui les séparait.

— Excuse-moi, mon petit, je n'ai pas...

Il s'interrompit brusquement. La porte de son bureau
venait de s'ouvrir.

— Hello, Iva! dit-il à la femme qui se tenait debout sur le
seuil.

— Oh! Sam! fit-elle.

Elle était blonde et paraissait avoir passé la trentaine.
Plutôt forte, mais magnifiquement balancée, elle avait dû
être une beauté quelques années auparavant. Elle était en

noir des pieds à la tête : on sentait le caractère improvisé de ce deuil. Elle recula d'un pas et attendit Spade.

Il retira sa main droite posée sur les cheveux d'Effie, entra dans son bureau et ferma la porte. Iva s'approcha et leva vers Sam son visage triste. Il l'embrassa. Les bras de la femme l'étreignirent avant qu'il la serrât contre lui. Après l'avoir embrassée, il eut un léger mouvement de recul, mais elle appuya sa joue contre la poitrine de Spade et se mit à pleurer.

— Mon pauvre chou ! dit-il doucement, en tapotant son épaule ronde.

Il loucha d'un air irrité vers l'autre bout de la pièce où était le bureau d'Archer, face au sien. Puis sa lèvre supérieure se retroussa, découvrant ses dents en une grimace d'impatience. Il détourna la tête pour éviter de toucher du menton le bord de son chapeau.

— As-tu prévenu le frère de Miles ? demanda-t-il.

— Oui, il est arrivé ce matin, répondit-elle d'une voix étranglée, la bouche contre le veston de Sam.

Il fit une autre grimace et tenta avec précaution de voir l'heure à sa montre-bracelet. Son bras gauche entourait l'épaule d'Iva, le poignet découvert. Il était dix heures dix.

La femme remua dans ses bras et releva la tête. Ses yeux bleus étaient voilés de larmes, avec un cerne pâle, ses lèvres humides.

— Oh ! Sam, murmura-t-elle, c'est toi qui l'as tué ?

Il la regarda, les yeux soudain écarquillés, bouche bée. Il la repoussa doucement, fronça les sourcils et s'éclaircit la gorge.

Elle demeura les bras levés. Les yeux embrumés d'angoisse, les sourcils joints. Ses douces lèvres humides et rouges se mirent à trembler.

Spade émit un bref ricanement et s'approcha de la fenêtre. Le dos tourné, il regarda dans la cour. Quand elle s'approcha de lui, il pivota sur ses talons et marcha vers son bureau. Il s'y assit, s'y appuya sur les coudes le menton entre les poings, et la regarda : ses yeux jaunes luisaient d'un éclat fauve.

— Qui t'a fourré cette brillante idée dans le crâne? demanda-t-il froidement.

— Je pensais...

Elle porta la main à sa bouche. Des larmes roulèrent sur ses joues. Elle s'approcha du bureau. Elle avait une démarche gracieuse et assurée sur ses escarpins aux talons exagérément hauts.

— Ne sois pas méchant, Sam! dit-elle humblement.

Il éclata de rire. Dans ses yeux dansait la même lueur fauve.

— Tu as tué mon mari, Sam. Ne sois pas méchant!

Puis il frappa dans ses mains et lança :

— Nom de Dieu!

Elle se mit à pleurer bruyamment, la figure enfouie dans son mouchoir.

Il se leva, vint se placer derrière elle, la prit dans ses bras et l'embrassa dans le cou, entre l'oreille et le col de son manteau.

— Voyons, Iva, je t'en prie, dit-il, l'air ennuyé.

Quand elle eut cessé de pleurer, il lui murmura à l'oreille :

— Tu n'aurais pas dû venir ici aujourd'hui, mon chou. Ce n'est pas raisonnable. Tu ne peux pas rester. Il faut que tu rentres chez toi.

Elle se retourna dans ses bras et le regarda.

— Tu viendras ce soir? demanda-t-elle.

— Non, pas ce soir, dit-il en secouant la tête.

— Bientôt?

— Oui.

— Quand?

— Dès que ce sera possible.

Il l'embrassa sur la bouche, la poussa gentiment vers la porte qu'il ouvrit.

— Au revoir, Iva.

Il s'inclina, referma la porte et vint s'asseoir à son bureau. Tirant du papier et du tabac de ses poches, il se prépara à rouler une cigarette et s'immobilisa soudain, le papier dans une main, le tabac dans l'autre, regardant fixement le bureau de Miles Archer.

Effie Perine entra sans frapper. Ses yeux sombres révélaient une sorte de gêne.

— Alors ? demanda-t-elle, anxieusement.

Spade ne répondit pas, l'œil rivé sur le bureau de son associé.

La jeune fille fronça les sourcils et s'approcha.

— Alors, dit-elle plus haut, ça s'est bien passé avec la veuve ?

— Elle croit que j'ai tué Miles, dit-il.

Ses lèvres seules bougèrent.

— Pour pouvoir l'épouser ?

Spade ne répondit pas.

La fille lui ôta son chapeau et le posa sur le bureau. Puis, elle se pencha et prit le tabac et le papier à cigarettes entre les doigts inertes de Spade.

— La police croit que j'ai tué Thursby, dit-il.

— Qui est ce Thursby ? demanda-t-elle en détachant une feuille de papier du carnet.

— Qui crois-tu que j'ai tué, toi ?

Elle ne répondit pas.

— Thursby, reprit-il, était le type que Miles devait filer pour le compte de la petite Wonderly.

Les doigts minces d'Effie achevaient de rouler la cigarette. Elle humecta le bord du papier, passa le bout de son index dessus, tordit une extrémité du cylindre et plaça l'autre entre les lèvres de Sam.

— Merci, mon petit, dit-il.

Il la prit par la taille et inclina sa tête contre la hanche de la jeune fille d'un air las, les yeux fermés.

— Tu vas épouser Iva ? demanda-t-elle, les yeux baissés sur les cheveux châtain clair de Sam.

— Ne déconne pas, murmura-t-il.

La cigarette oscillait de haut en bas, au mouvement de ses lèvres.

— Ce n'est pas son avis, reprit Effie. Après tout, tu lui as assez couru après.

— Je voudrais bien ne l'avoir jamais connue, soupira-t-il.

— Tu dis ça maintenant, répondit Effie avec une trace de dépit dans la voix. Mais dans le temps...

— Je ne sais pas m'y prendre autrement avec les femelles, grogna-t-il. Et je ne pouvais pas blairer Miles.

— Tu mens, Sam ! dit-elle. Tu sais que je pense que c'est une garce, mais je serais bien une garce si je pouvais avoir un châssis comme le sien.

Spade frotta sa joue contre la hanche d'Effie, sans répondre.

Effie se mordit la lèvre, plissa le front et se pencha pour mieux voir le visage de Sam.

— Crois-tu qu'elle l'ait tué ? demanda-t-elle.

Spade se redressa et lâcha Effie. Il lui sourit, elle lui rendit son sourire d'un air franchement amusé, puis il sortit son briquet et alluma sa cigarette.

— Tu es un ange ! dit-il tendrement, à travers la fumée de tabac ; un ange à cervelle de crotale.

— Vraiment ? fit-elle, mi-figue, mi-raisin. Et si je te disais qu'Iva venait à peine de rentrer chez elle, à trois heures du matin, quand je suis venue lui annoncer la mort de son mari ?

— Non ? dit-il, souriant toujours, mais l'œil soudain intéressé.

— Elle m'a fait attendre à la porte, pendant qu'elle se déshabillait ou finissait de se déshabiller. Elle avait jeté ses vêtements sur une chaise, le chapeau et le manteau par en dessous. Sa combinaison était encore tiède. Elle m'a dit qu'elle dormait, mais je t'en fiche : elle avait défait son lit, mais les plis des draps n'étaient même pas aplatis.

Spade caressa la main d'Effie.

— Tu es un vrai limier, mon chou, mais... (il secoua la tête)... elle ne l'a pas tué.

La jeune fille retira sa main.

— En tout cas, dit-elle amèrement, cette traînée veut que tu l'épouses, Sam !

Il eut un double geste d'impatience, de la tête et de la main.

— Tu ne l'as pas vue hier soir ? insista Effie en fronçant les sourcils.

— Non.

— Vrai ?

— Vrai. Tu ne vas pas imiter Dundy, chérie ? Ça ne te va pas.

— Qu'est-ce qu'il te veut Dundy ?

— Il est venu boire un verre, chez moi, cette nuit à quatre heures avec Tom Polhaus.

— Ils croient vraiment que tu as descendu ce type... comment déjà ?

— Thursby.

Il écrasa son mégot dans le cendrier et se mit à rouler une autre cigarette.

— Alors ? insista-t-elle.

— Qui sait ? murmura-t-il sans lever les yeux de la cigarette qu'il confectionnait. Ils avaient l'air d'y croire dur comme fer. Je ne sais pas jusqu'à quel point je leur ai ôté cette idée du crâne.

— Regarde-moi, Sam.

Il obéit et se mit à rire. Pendant quelques secondes, le visage d'Effie révéla un mélange d'anxiété et d'amusement.

— Tu m'inquiètes, dit-elle, soudain sérieuse. Tu penses toujours que tu sais où tu vas, mais tu te crois trop malin et un de ces jours tu vas te retrouver le bec dans l'eau.

Il soupira d'un air moqueur et frotta sa joue contre le bras d'Effie.

— C'est ce que prétend Dundy, fit-il, mais si tu t'arranges pour qu'Iva ne vienne pas me casser les pieds, je réussirai à m'en tirer.

Il se leva et prit son chapeau.

— Fais ôter la plaque « Spade et Archer », et remplace-la par « Samuel Spade ». Je serai revenu dans une heure, ou je te passerai un coup de fil.

*

Sam pénétra dans le hall du Saint-Mark, s'approcha du bureau de la réception et demanda à un jeune rouquin tiré à quatre épingles si Miss Wonderly était chez elle. Le rouquin regarda en arrière, par-dessus son épaule.

— Elle est partie ce matin, monsieur Spade.

— Merci.

Spade se dirigea vers une sorte d'alcôve où se tenait, derrière un bureau d'acajou, un bonhomme replet, entre deux âges, vêtu de noir. Sur le bord du bureau, face au hall, un prisme d'acajou était posé, portant en lettres de cuivre : *M. Freed.*

L'homme se leva et tendit la main à Spade.

— J'ai été navré d'apprendre la mort d'Archer, dit-il avec l'aisance d'un homme accoutumé à présenter des condoléances. Je viens de lire ça dans le *Call*. Archer était ici hier soir, voyez-vous.

— Merci, dit Spade. Lui avez-vous parlé ?

— Non. Il était assis dans le hall, quand je suis arrivé au début de la soirée. Je ne me suis pas arrêté. Je pensais qu'il était en service et je sais que vous aimez bien qu'on vous fiche la paix quand vous êtes en service. Est-ce que cela a quelque rapport...

— Je ne crois pas, coupa Spade ; mais on ne sait encore

rien de précis. En tout cas, le nom de l'hôtel ne sera pas cité si on peut l'éviter.

— Merci.

— Pas de quoi. Pourriez-vous me tuyauter sur un client et oublier ce détail ensuite ? demanda Spade.

— Bien sûr !

— Une certaine Miss Wonderly a quitté l'hôtel ce matin. Puis-je avoir quelques tuyaux ?

— Venez, nous allons voir, dit M. Freed.

Spade ne bougea pas et secoua la tête.

— Je préfère ne pas me montrer.

Freed approuva du chef et sortit de son trou. Après quelques pas, il s'arrêta et revint en arrière.

— Harriman était le détective de service hier soir, dit-il ; il a certainement vu Archer. Faut-il l'avertir de ne rien dire ?

— Vaut mieux pas, répondit Spade. Ça n'a pas d'importance tant que Miss Wonderly n'est pas mise dans le bain. Harriman est un bon zigue, mais il est bavard et je ne voudrais pas qu'il s'imagine qu'on essaye de cacher quelque chose.

M. Freed fit un nouveau signe de tête et s'éloigna. Il revint un quart d'heure plus tard.

— Elle est arrivée mardi dernier, dit-il, venant de New York. Elle n'avait pas de malles, mais plusieurs valises. Pas de coups de téléphone mentionnés sur sa note. Pour ainsi dire pas de courrier reçu. On l'a vue toujours seule, sauf une fois, avec un grand type brun, trente-cinq ans environ. Elle est sortie ce matin à neuf heures et demie. Elle est revenue une heure plus tard, a payé sa note et fait transporter ses valises dans une auto qui l'attendait. Le porteur dit que c'était une voiture de tourisme, une Nash, probablement de location. Elle a laissé une adresse pour faire suivre son courrier : *Hôtel Ambassador. Los Angeles.*

— Merci beaucoup, Freed, dit Spade, et il partit.

*

Quand Spade revint à son bureau, Effie Perine, assise devant sa machine à écrire, s'interrompit.

— Ton copain Dundy est venu, dit-elle ; il voulait voir tes revolvers.

— Et alors ?

— Alors je lui ai dit de revenir quand tu serais là.

— Parfait. S'il revient, montre-les-lui tout de même.

— Miss Wonderly a téléphoné, ajouta Effie.

— Pas trop tôt, grogna-t-il. Pour dire ?

— Qu'elle veut te voir.

La jeune fille prit sur un bureau une feuille de papier et lut :

— Elle est au Coronet, California Street, appartement 1001. Il faut demander Miss Leblanc.

— Donne, fit Spade tendant la main.

Il prit le papier, alluma son briquet, enflamma la feuille et attendit qu'elle fût entièrement consumée. Il écrasa les cendres du pied sur le linoléum.

Effie Perine le regardait d'un air désapprobateur.

— C'est comme ça, mon petit ! dit-il en souriant.

Et il ressortit.

IV

L'OISEAU NOIR

Miss Wonderly, en robe de crêpe de Chine vert à ceinture, ouvrit la porte de l'appartement n° 1001. Elle avait le feu aux joues. Ses cheveux roux sombre, partagés par une raie à gauche, retombaient en mèches folles sur sa tempe droite.

— Bonjour, dit Spade, ôtant son chapeau avec un sourire.

Elle eut un sourire forcé pour répondre à celui de Spade. Ses yeux bleus, presque violets, ne perdirent pas leur expression inquiète. Elle baissa la tête et murmura d'une voix timide :

— Entrez, monsieur Spade.

Elle le précéda dans le couloir. Ils passèrent devant la cuisine, la salle de bains, la chambre, dont les portes étaient ouvertes, et arrivèrent dans un salon crème et rouge.

Elle s'excusa.

— Tout est sens dessus dessous ! murmura-t-elle. Je n'ai pas fini de déballer.

Elle prit le chapeau de Spade, le posa sur la table, s'assit sur le canapé et désigna à Sam une chaise en tapisserie à dossier ovale.

Elle regarda un instant ses doigts entrelacés.

— Monsieur Spade, dit-elle enfin, j'ai un aveu très, très pénible à vous faire.

Spade fit un sourire poli — que, n'ayant pas relevé la tête, elle ne vit pas — et ne dit mot.

— Cette... cette histoire, bégaya-t-elle, cette histoire que je vous ai racontée hier... c'était une invention.

Elle leva sur lui des yeux anxieux et affolés.

— Oh ! dit Spade d'un ton léger, nous n'avons pas cru tout ce que vous nous avez raconté.

— Alors... ?

Dans ses yeux inquiets la perplexité se mêla à la crainte.

— Nous avons surtout cru en vos deux cents dollars !

— Voulez-vous dire... ?

Elle s'interrompit, ne comprenant plus.

— Je veux dire, répondit Spade d'un ton un tantinet narquois, que vous nous avez trop bien payés pour nous dire la vérité et assez pour que nous n'insistions pas.

Les yeux de la jeune femme brillèrent soudain.

Elle se souleva du divan, puis se rassit, lissa sa jupe et se pencha en avant :

— Et vous êtes toujours prêts à... ? dit-elle avidement.

Il l'interrompit, une main levée, les sourcils contractés, la bouche souriante.

— Ça dépend, dit-il. Le hic, Miss... Wonderly ou Leblanc ?

Elle rougit.

— Je m'appelle en réalité Brigid O'Shaughnessy, murmura-t-elle.

— Le hic, Miss O'Shaughnessy, répondit-il, c'est que deux meurtres consécutifs (elle eut un frisson) font du bruit, la police se croit tout permis. Ça devient le diable de manier les gens, il y a de gros frais. Ce n'est pas...

Il se tut car elle n'écoutait pas, attendant qu'il eût fini.

— Dites-moi la vérité, monsieur Spade, fit-elle d'une voix chevrotante, presque hystérique.

Son visage était devenu blafard, son regard désespéré.

— Ce qui est arrivé la nuit dernière, murmura-t-elle, est-ce de ma faute ?

— Non, dit Spade secouant la tête, à moins qu'il n'y ait des choses que j'ignore. Vous nous avez prévenus que Thursby était dangereux. C'est entendu, vous avez menti avec votre histoire de sœur, mais nous n'en avons pas cru un mot. (Il haussa ses épaules tombantes.) Je ne peux pas dire que ce soit de votre faute.

— Merci, dit-elle dans un souffle. (Puis elle se mit à secouer la tête.) Mais je ne me le pardonnerai jamais. (Elle porta une main à sa gorge.) M. Archer était si... si vivant, hier après-midi, si vigoureux... si cordial et..

— Suffit, coupa Spade. Il savait ce qu'il faisait. Ce sont les risques du métier.

— Etait-il... était-il marié ?

— Oui, avec une assurance de dix mille dollars, pas d'enfants et une femme qui ne l'aimait pas.

— Oh ! monsieur Spade, je vous en prie.

Il haussa les épaules.

— C'est pourtant comme ça, dit-il.

Il jeta un coup d'œil sur sa montre et vint s'asseoir près d'elle sur le canapé.

— Ne nous inquiétons plus de ça, fit-il d'une voix douce, mais ferme. Il y a un troupeau de flics, de magistrats et de reporters sur le sentier de la guerre. Que comptez-vous faire ?

— Je veux que vous me sauviez... de tout cela, dit-elle d'une voix frêle qui tremblait.

Elle posa une main timide sur le bras du détective.

— Monsieur Spade, murmura-t-elle, est-ce qu'ils sont au courant en ce qui me concerne ?

— Je n'ai encore rien dit ; je voulais vous voir d'abord.

— Que penseraient-ils s'ils savaient comment je suis venue vous trouver, avec toutes ces histoires ?

— Ils vous soupçonneraient. C'est pour cela que je les ai envoyés promener avant de vous avoir vue. J'ai pensé que nous pourrions peut-être éviter de tout raconter en arrangeant une histoire qui puisse les endormir si c'est nécessaire.

— Vous ne pensez pas que je sois pour quelque chose dans ces deux meurtres, n'est-ce pas ?

Spade sourit.

— J'ai oublié de vous demander ça, dit-il. Au fait, quelle part y avez-vous prise ?

— Aucune.

— Bon. Mais qu'allons-nous raconter à la police ?

Elle s'agita, mal à l'aise, sur le canapé. Ses yeux bougèrent sous ses longs cils, comme si elle voulait éviter son regard. Elle paraissait plus petite, très jeune, traquée.

— Est-il nécessaire qu'ils connaissent mon existence ? demanda-t-elle. Je préférerais mourir, monsieur Spade. Je ne peux pas vous expliquer maintenant. Ne pouvez-vous vous arranger pour éviter que l'on me questionne ? Je ne pourrai le supporter ! Plutôt mourir ! Voulez-vous m'aider, monsieur Spade.

— Peut-être, dit-il, mais il faut que vous me disiez la vérité.

Elle se jeta à ses genoux. Son visage blême, levé vers lui, était anxieux et tendu, au-dessus de ses mains jointes.

— J'ai été une mauvaise femme, cria-t-elle, pire que vous ne pouvez l'imaginer, mais je ne suis pas foncièrement mauvaise. Regardez-moi, monsieur Spade. Vous le savez, n'est-ce pas ? Vous pouvez le voir ? Pourquoi ne croyez-vous pas ce que je vous dis ? Je suis si seule, j'ai si peur. Personne au monde ne m'aidera si vous refusez. Je sais que je n'ai pas le droit d'exiger votre confiance si je ne me confie à vous. Mais je ne peux pas parler maintenant. Plus tard, dès que je pourrai. J'ai peur d'avoir confiance en vous. Ce n'est pas ce que je veux dire : j'ai confiance en vous, mais j'ai aussi cru à la bonne foi de Floyd, et... Je n'ai plus personne, monsieur Spade ! Vous pouvez me sauver. Vous avez dit que vous le pouviez. Si je n'avais pas cru en vous je me serais enfuie aujourd'hui au lieu de vous demander de venir. Si je pensais qu'une autre personne pouvait m'aider, serais-je ainsi à genoux devant vous ? Je sais que je vous demande une chose extraordinaire. Soyez généreux, monsieur Spade ! Ne me demandez pas de parler. Vous êtes fort, brave, plein de ressources. Sacrifiez-moi un peu de cette force, de ce courage, de cette intelligence. Aidez-moi, monsieur Spade, j'ai tant besoin d'être aidée ! Si vous refusez, où trouverai-je quelqu'un, même de bonne volonté, qui soit capable de me secourir ? Aidez-moi ! Je n'ai pas le droit de vous demander de m'aider ainsi, aveuglément, je le sais. Je vous le demande quand même. Soyez généreux, monsieur Spade ! Vous pouvez m'aider ! Aidez-moi !

Spade, qui avait longtemps retenu son souffle, vida ses poumons en un long soupir entre ses lèvres serrées.

— Vous n'avez pas besoin d'aide, dit-il. Vous êtes de première force... de première. Vos yeux surtout, et puis ce trémolo dans la voix pour dire, par exemple : « Soyez généreux, monsieur Spade ! »

Elle se releva d'un bond. Elle était cramoisie. La tête levée, elle regarda Spade droit dans les yeux.

— J'ai mérité ça, dit-elle, je l'ai mérité, mais j'ai tant besoin que l'on m'aide — tant ! J'ai menti dans ma façon de vous dire les choses, mais pas dans ce que j'ai voulu dire.

Elle se détourna et courba les épaules.

— Maintenant c'est ma faute si vous ne pouvez plus me croire.

Spade rougit et regarda par terre.

— C'est maintenant que vous devenez dangereuse, marmonna-t-il.

Brigid O'Shaughnessy marcha vers la table et prit le chapeau de Spade. Elle revint et se tint debout devant lui, tenant le chapeau sans le lui offrir, mais il pouvait le prendre s'il le désirait.

Elle était très pâle.

Spade regarda son chapeau et demanda :

— Que s'est-il passé hier soir ?

— Floyd est venu à l'hôtel, à neuf heures. Nous sommes sortis ensemble. J'avais proposé une promenade pour que M. Archer puisse le voir. Nous sommes entrés dans un restaurant de Geary Street, je crois, pour dîner et danser, et nous étions de retour à l'hôtel vers minuit et demi. Floyd m'a quittée devant la porte. Je l'ai vu repartir, suivi par M. Archer sur l'autre trottoir.

— De quel côté ? Market Street ?

— Oui.

— Savez-vous ce qu'ils pouvaient aller faire du côté de Bush et de Stockton Street où Archer a été descendu ?

— Est-ce que Floyd n'habitait pas par là ?

— Non. C'était à douze blocks d'écart s'il allait de votre hôtel au sien. Bon, qu'avez-vous fait ensuite ?

— Je me suis couchée. Et ce matin, en sortant pour prendre mon petit déjeuner, j'ai vu les gros titres dans les

journaux et j'ai appris... ce que vous savez. Je suis allée à
Union Square où j'avais remarqué une agence de location
de voitures ; j'en ai donc loué une et suis revenue chercher
mes bagages à l'hôtel. J'avais trouvé ma chambre fouillée
hier ; je savais qu'il fallait que je m'en aille. J'ai trouvé un
appartement ici, hier après-midi. Dès mon arrivée, j'ai
téléphoné à votre bureau.

— Votre chambre du Saint-Mark avait été fouillée ?
demanda Spade.

— Oui, pendant que j'étais chez vous.

Elle se mordit la lèvre.

— Je n'avais pas l'intention de vous dire ça, murmura-t-
elle.

— Ce qui veut dire qu'il ne faut pas vous poser de
questions à ce sujet ?

Elle hocha la tête avec embarras.

Il fronça les sourcils.

Elle fit légèrement tourner le chapeau entre ses doigts.

Il dit en riant pour dissimuler son impatience :

— Laissez donc mon galurin tranquille. Ne vous ai-je pas
offert de faire tout mon possible ?

Elle sourit d'un air contrit, reposa le chapeau sur la table
et revint s'asseoir près de Spade.

— Rien, dit-il, ne s'oppose à ce que je vous fasse
confiance aveuglément, mais, dans ce cas, je ne pourrai pas
faire grand-chose pour vous si je ne sais pas de quoi il
retourne. Il faut que je puisse me faire une idée de votre
Floyd Thursby.

— Je l'ai rencontré en Extrême-Orient, dit-elle lentement, regardant l'extrémité de son doigt qui traçait des
huit sur le velours du canapé. Nous sommes arrivés
ensemble de Hong-Kong, la semaine dernière. Il était... il
avait promis de m'aider. Il a abusé de ma confiance et de
mon impuissance ; il m'a trahie.

— Trahie ? Comment ça ?

Elle secoua la tête sans répondre.

— Pourquoi vouliez-vous le faire surveiller ? demanda Spade, les sourcils froncés.

— Je voulais savoir jusqu'à quel point il s'était avancé. Il n'avait même pas voulu me dire où il habitait. Je voulais savoir ce qu'il faisait, qui il voyait... des choses comme ça...

— A-t-il tué Archer ?

Elle leva la tête, surprise.

— Oui, certainement, dit-elle.

— Il portait un Luger dans un baudrier. Archer n'a pas été tué avec un Luger.

— Il avait un autre revolver dans la poche de son pardessus.

— Vous l'avez vu ?

— Souvent. Pas hier soir, mais je savais qu'il était toujours dans la poche de son pardessus.

— Pourquoi tant de revolvers ?

— Il vivait de ça. On racontait à Hong-Kong qu'il avait accompagné en Extrême-Orient un joueur fameux qui avait dû quitter les Etats-Unis. Floyd était son garde du corps. Cet homme a disparu là-bas. On disait que Floyd en savait long. Je n'en sais rien. En tout cas, je sais qu'il était toujours armé jusqu'aux dents et ne se couchait jamais sans couvrir le parquet de sa chambre de journaux froissés afin de n'être pas surpris en plein sommeil.

— Vous avez ramassé un joli petit copain, murmura Spade.

— Il n'y avait qu'un homme pareil pour pouvoir m'aider... s'il avait été loyal, dit-elle simplement.

— Oui, si...

Spade saisit sa lèvre inférieure entre son pouce et son index et regarda pensivement la jeune fille.

— Dites-moi si vous êtes vraiment dans le pétrin ? demanda-t-il.

— Jusqu'au cou, dit-elle.

— Danger physique ?

— Oui. Je n'ai rien d'héroïque. Je pense qu'il n'y a rien de pire que la mort.

— C'est donc ça ? murmura-t-il.

— Exactement ; aussi sûr que nous sommes assis sur ce canapé... à moins que vous ne me tiriez de là.

Il lâcha sa lèvre et se passa la main dans les cheveux.

— Pour qui me prenez-vous ? dit-il, d'un ton irrité ; je ne fais pas de miracles.

Il regarda sa montre.

— Le temps passe, dit-il, et vous ne m'avez rien dit d'utilisable. Qui a tué Thursby ?

Elle porta un mouchoir tout froissé à sa bouche :

— Je ne sais pas.

— Vos ennemis ou les siens ?

— Je ne sais pas. Les siens, j'espère, mais je crains que... je ne sais pas.

— En quoi pouvait-il vous aider ? Pourquoi l'aviez-vous amené d'Hong-Kong jusqu'ici ?

Elle fixa sur lui des yeux affolés et secoua la tête sans répondre. Un entêtement pitoyable se marquait sur son visage blême.

Spade se leva, enfonça ses poings fermés dans les poches de son veston et la regarda, les sourcils froncés.

— Il n'y a rien à faire, dit-il durement. Je ne puis rien pour vous. Je ne sais pas ce que vous voulez. Je ne suis pas sûr que vous le sachiez vous-même.

Elle baissa la tête et se mit à pleurer.

Il poussa un grognement guttural et alla prendre son chapeau sur la table.

— Vous n'allez pas trouver la police, n'est-ce pas ? dit-elle d'une voix étranglée, sans relever la tête.

— Aller trouver la police, hurla-t-il furibond. Elle me colle aux fesses depuis quatre heures du matin ! Je me suis attiré un tas d'ennuis pour les tenir à l'écart, Dieu sait pourquoi ! Comme un idiot, je pensais pouvoir vous aider ! Je ne peux pas, et je ne veux pas !

Il posa son chapeau sur sa tête et l'enfonça violemment en tirant sur les bords.

— Aller à la police ! répéta-t-il. C'est inutile. Je n'ai qu'une chose à faire : ne pas bouger et ils me tomberont dessus comme la vérole sur le bas clergé ! Tant pis. Je dirai ce que je sais et vous vous démerderez !

Elle se leva et se tint droite devant lui, les genoux tremblants. Dans son visage pâle et atterré, les muscles de la bouche et du menton tressautaient spasmodiquement.

— Vous avez été très patient, dit-elle ; vous avez essayé de m'aider ; mais c'est inutile, je suppose.

Elle lui tendit sa main droite.

— Merci de ce que vous avez fait, dit-elle. J'essaierai de m'en tirer toute seule.

Spade grogna de nouveau et se rassit sur le divan.

— Combien avez-vous sur vous ? demanda-t-il.

Elle tressaillit à cette question, puis mordit sa lèvre inférieure et dit, comme à regret :

— Il me reste cinq cents dollars.

— Donnez-les-moi.

Elle hésita, le regardant d'un air timide. Il la fixait d'un œil froid. Sa bouche, ses mains, ses épaules frémissaient de fureur contenue. Elle entra dans sa chambre et revint presque immédiate,ment un paquet de billets à la main.

Il prit l'argent, le compta et dit :

— Il n'y a que quatre cents dollars.

— Il faut que j'en garde assez pour vivre, expliqua-t-elle doucement, posant une main sur sa poitrine.

— Vous ne pouvez pas en trouver plus ?

— Non.

— Vous avez bien quelque chose qu'on puisse convertir en argent liquide ? insista-t-il.

— J'ai quelques bagues, des bijoux.

— Vous les mettrez au clou, dit-il, tendant la main. Le Remedial est la meilleure boîte, Mission Street.

Elle le regarda, suppliante, mais ses yeux jaunes étaient

implacables. Lentement elle glissa la main dans l'échancrure de sa robe et tira des billets qu'elle posa dans la main de Spade.

Il les aplatit et compta : quatre coupures de vingt dollars ; quatre de dix ; une de cinq. Il lui rendit deux de dix et celle de cinq et empocha les autres. Puis il se leva.

— Je vais voir ce que je peux faire pour vous, dit-il. Je reviendrai dès que je pourrai avec les meilleures nouvelles possibles. Je sonnerai quatre fois : un coup long, un coup court, deux fois de suite. Vous saurez que c'est moi. Inutile de m'accompagner, je connais le chemin.

Il la laissa plantée au milieu de la pièce, le regardant partir de ses yeux bleus ahuris.

*

Spade pénétra dans une salle de réception dont la porte indiquait : *Wise, Merican and Wise.*

— Oh ! hello, Sam Spade ! dit la rouquine du standard.

— Hello, beauté ! répondit-il ; Sid est là ?

Il demeura debout derrière elle, une main posée sur son épaule potelée, tandis qu'elle manipulait une fiche et parlait dans l'appareil.

— M. Spade voudrait vous voir, monsieur Wise.

Elle se retourna.

— Entrez, dit-elle.

Il lui pressa l'épaule en guise de remerciement et gagna un couloir mal éclairé. Il s'arrêta devant une porte vitrée qui en fermait l'extrémité et, sans frapper, entra dans un bureau où un petit homme au teint olivâtre, aux cheveux noirs semés de pellicules, était assis derrière une immense table sur laquelle s'empilaient des paperasses et des dossiers.

Le petit homme braqua sur Spade un mégot de cigare éteint.

— Pose tes fesses, dit-il. Alors, Miles a fait le grand saut hier soir ?

Son visage las et sa voix aigre ne révélaient aucune émotion.

— Ouais ! c'est justement ce qui m'amène, dit Spade en fronçant les sourcils. (Il s'éclaircit la gorge.) J'ai l'intention d'envoyer le coroner aux pelotes, Sid. Est-ce que je peux me réfugier derrière le sacro-saint secret professionnel et tout le bataclan, comme un cureton ou un avocat ?

Sid Wise haussa les épaules. Les coins de sa bouche s'abaissèrent.

— Pourquoi pas ? Une enquête n'est pas une audience d'assises. Essaie toujours ! Tu t'es déjà tiré de situations plus coton que ça !

— Je sais, mais Dundy s'énerve, et c'est peut-être plus coton que tu ne crois. Prends ton galure, Sid, on va aller voir un spécialiste. Je tiens à ne pas me mouiller.

Sid Wise jeta un long regard vers les dossiers accumulés sur son bureau, mais il se leva et s'approcha du placard près de la fenêtre.

— Tu es un sacré emmerdeur, Sammy ! dit-il en décrochant son chapeau.

Il était cinq heures moins dix lorsque Spade revint à son bureau. Effie Perine lisait *Time*. Spade se percha sur un coin de sa table.

— Quoi de neuf ? dit-il.

— Rien. On dirait que t'as gagné le gros lot !

— Je crois que ça va gazer, dit-il avec un sourire satisfait. Je me suis toujours dit que si Miles clabotait, l'affaire se mettrait à marcher le tonnerre. N'oublie pas d'envoyer des fleurs en mon nom.

— C'est fait.

— Tu es un archange. Comment marche ton intuition féminine aujourd'hui ?

— Pourquoi ?

— Qu'est-ce que tu penses de la fille Wonderly ?

— Je suis pour ! répondit Effie sans hésiter.

— Elle a trop de noms ! murmura Spade ; Wonderly, Leblanc ; finalement, elle prétend s'appeler O'Shaughnessy.

— Je m'en bats l'œil ! Elle peut prendre tous les noms de l'annuaire du téléphone ! C'est une fille bien et ça se voit !

— Je me le demande, murmura Spade en regardant Effie d'un air endormi. En tout cas, elle a lâché sept cents dollars en deux jours : ça, c'est correct.

Effie Perine se redressa.

— Sam, si cette fille est dans le pétrin et que tu la laisses tomber, ou que tu en profites pour la saigner, je ne te le pardonnerai jamais, et tant que je vivrai, je n'aurai plus aucun respect pour toi.

Spade eut un sourire forcé, puis un froncement des sourcils également contraint. Il ouvrit la bouche pour parler, mais quelqu'un frappa à la porte du couloir.

Effie Perine se leva pour aller dans le bureau de réception. Spade ôta son chapeau et s'assit. La jeune fille revint bientôt tenant une carte gravée : M. Joel Cairo.

— Ce type est pédé, dit-elle.

— Alors, introduis, chérie, introduis, dit Spade.

M. Joel Cairo était un homme brun, de taille moyenne, à l'ossature frêle. Ses cheveux noirs étaient ondulés et brillants. Une bonne bouille de métèque. Un rubis carré, entouré de quatre baguettes de diamants, étincelait sur le vert sombre de sa cravate. Son pardessus noir, ajusté autour de ses épaules étroites, s'évasait légèrement sur les hanches un peu grasses. Son pantalon serrait ses jambes rondes davantage que ne le voulait la mode actuelle. Des guêtres fauves cachaient les tiges de ses bottines vernies. Il tenait dans une main, gantée de chamois, un chapeau à bords roulés. Il s'avança vers Spade à petits pas sautillants : une odeur pénétrante de chypre l'escortait.

Spade inclina la tête et montra un siège au visiteur.

— Asseyez-vous, monsieur Cairo.

Cairo fit un plongeon par-dessus son chapeau, dit : « Je vous remercie », d'une voix grêle et flûtée, et s'assit lentement, en allongeant les jambes. Il croisa les chevilles, plaça son chapeau sur ses genoux et se mit à éplucher ses gants jaunes.

Spade se renversa dans son fauteuil.

— Que puis-je faire pour vous, monsieur Cairo ? demanda-t-il, du même ton aimable et négligent qu'il avait employé la veille à l'égard de Miss O'Shaughnessy.

Cairo retourna son chapeau, y jeta ses gants et posa le couvre-chef sur le coin du bureau. Des diamants étincelaient à l'index et à l'annulaire de sa main gauche. Il portait au médius de la main droite un rubis assorti à celui de son épingle de cravate. Ses mains étaient petites, grasses et soignées ; ses doigts courts et boudinés les faisaient paraître gauches. Il se mit à les frotter l'une contre l'autre, puis, par-dessus leur léger froissement, il murmura :

— Un inconnu peut-il prendre la liberté de vous présenter ses condoléances pour la mort de votre malheureux associé ?

— Merci.

— Puis-je vous demander, monsieur Spade, si, comme les journaux l'ont suggéré, il existait un rapport entre la triste fin de M. Archer et la mort de Thursby ?

Le visage de Spade se figea. Il ne répondit pas.

Cairo se leva et s'inclina.

— Pardonnez-moi, dit-il.

Il se rassit et posa ses mains à plat, l'une après l'autre, sur le coin du bureau.

— Ce n'est pas la simple curiosité qui m'a poussé à vous poser cette question, dit-il. J'essaye de recouvrer un... objet d'art... qui a été... disons... égaré. J'espérais que vous pourriez m'aider à le retrouver.

Spade hocha la tête et haussa les sourcils pour montrer son intérêt.

— Il s'agit d'une... statuette, dit Cairo, choisissant soigneusement ses mots, représentant un oiseau, un oiseau noir.

Spade hocha de nouveau la tête avec un intérêt courtois.

— Je suis prêt à payer, au nom du propriétaire légitime, la somme de cinq mille dollars pour la récupérer.

Cairo leva la main et désigna de son index court à l'ongle plat un point imaginaire dans l'espace.

— Je suis prêt à promettre également que... quelle est la phrase consacrée ?... Ah ! oui, que je ne poserai aucune question indiscrète.

Il replaça sa main près de l'autre, sur le bureau et sourit placidement en regardant le détective.

— Cinq mille dollars, c'est une jolie somme, remarqua Spade pensif. C'est...

On gratta à la porte.

— Entrez, dit le détective.

Par l'entrebâillement, Effie Perine passa la tête et les épaules. Elle portait un petit chapeau de feutre noir et un manteau sombre à col de fourrure grise.

— Avez-vous encore besoin de moi ? demanda-t-elle.

— Non. Bonsoir. Fermez le verrou en vous en allant, s'il vous plaît.

— Bonsoir, dit-elle en disparaissant derrière le battant qu'elle tirait.

Spade fit pivoter son fauteuil et se retourna vers Cairo.

— C'est une jolie somme, répéta-t-il.

On entendit la porte du couloir se refermer.

Cairo sourit et tira de sa poche un automatique noir, à canon court.

— Voulez-vous lever les mains, dit-il, et les croiser derrière la tête, s'il vous plaît ?

V

LE LEVANTIN

Spade ne regarda pas l'automatique. Il leva les bras, se pencha en arrière et croisa les mains sur sa nuque. Son regard inexpressif demeurait attaché au visage basané de Cairo.

Le Levantin toussota, mal à l'aise. Il eut un sourire nerveux, ses lèvres avaient pâli. Ses yeux sombres étaient humides et graves.

— J'ai l'intention de fouiller votre bureau, monsieur Spade, déclara-t-il. Je vous préviens que si vous tentez de vous y opposer, je tirerai.

— Allez-y ! dit Spade d'une voix aussi neutre que ses traits.

— Levez-vous, s'il vous plaît, dit l'homme au pistolet. Je veux m'assurer que vous n'êtes pas armé.

Le détective se leva et recula son fauteuil d'une poussée des mollets.

Cairo se glissa derrière lui, passa le pistolet de sa main droite dans sa gauche et souleva le veston de Spade pour visiter la poche revolver. Puis, le canon de l'automatique dans le dos du détective, il passa sa main droite sous le bras de Spade pour tâter la poitrine. Le visage du Levantin était alors à quinze centimètres au plus du coude droit de Spade, et derrière.

Brusquement, le coude s'abaissa. Cairo sauta en arrière, mais insuffisamment. Le talon droit de Spade, lourdement posé sur l'une des bottines vernies, le cloua sur place, tandis que son coude le frappait sous la pommette. Il bascula, mais le pied de Spade, posé sur le sien, le maintint en place. Le bras droit du détective s'allongea et Cairo, stupide, lâcha

son arme dès que les doigts de Spade le touchèrent.
L'automatique était comme un jouet dans sa grosse patte.

Spade souleva le pied et pivota. De la main gauche, il
empoigna le revers du pardessus de Cairo, froissant la
cravate où étincelait le rubis, tandis que, de la droite, il
fourrait le pistolet dans sa poche. Le regard de Spade était
sombre, son visage immobile avait un pli amer à la bouche.

Celui de Cairo était tordu par la crainte et la douleur. Des
larmes s'amassaient dans ses yeux noirs. Sa peau avait
pris une teinte plombée avec une tache rouge sombre au
point où le coude de Spade avait frappé sa joue.

Spade, sans relâcher son étreinte, repoussa lentement
Cairo jusqu'à son siège. La curiosité remplaça sur le visage
au teint plombé de Cairo la douleur physique. Spade
sourit : un sourire doux et rêveur. Son épaule droite se
souleva légèrement. Son bras replié se porta en arrière. Le
poing, l'avant-bras, le coude et le bras, comme un levier
articulé mu par l'épaule, se détendirent. Le poing s'écrasa
sur la figure de Cairo, recouvrant un instant un côté de son
menton, un coin de sa bouche et la majeure partie de sa
joue, entre la pommette et la mâchoire.

Cairo ferma les yeux et tomba dans les pommes.

Spade laissa le corps inerte glisser sur la chaise, bras et
jambes allongés, la tête renversée en arrière, la bouche
ouverte. Puis Spade vida méthodiquement les poches du
visiteur, déplaçant le corps flasque lorsque c'était nécessaire et empila son butin sur le bureau. La dernière poche
retournée, il revint s'asseoir dans son fauteuil, roula une
cigarette, l'alluma et se mit à examiner minutieusement,
sans hâte, les objets entassés devant lui.

Il y avait un grand portefeuille noir, en cuir souple,
contenant trois cent soixante-cinq dollars en billets ; trois
coupures de cinq livres sterling ; un passeport grec sur-
chargé de nombreux visas au nom de Cairo, avec sa photo ;
cinq feuilles de papier pelure rosé couverts de caractères
arabes ; une coupure de journal toute déchiquetée relatant

la découverte des cadavres d'Archer et de Thursby ; un cliché format carte postale, d'une femme basanée, au regard cruel, à la bouche molle et tombante ; un grand mouchoir de soie jauni par l'âge et déchiré aux plis ; quelques cartes de visite gravées au nom de M. Joel Cairo et un billet d'orchestre pour la représentation du Geary Theatre, ce soir-là.

Outre le portefeuille et son contenu, il y avait trois mouchoirs de soie, de couleur vive, qui empestaient le chypre ; une Longines en platine, avec sa chaîne — platine et or rouge — qui se terminait par une sorte de pendentif en forme de poire, de métal blanc ; une poignée de pièces de monnaies américaines, anglaises, françaises et chinoises ; un anneau avec une demi-douzaine de clés ; un stylo, onyx et argent ; un peigne de métal dans son étui ; une lime à ongles également dans un étui ; un guide des rues de San Francisco ; une fiche de bagages de la Southern Pacific ; un paquet entamé de pastilles à la violette ; la carte d'un courtier d'assurances de Shangaï et quatre feuilles de papier à lettres à en-tête de l'hôtel Belvedere. L'une de ces feuilles portait, tracés d'une écriture fine et ferme, le nom de Samuel Spade, l'adresse de son bureau et celle de son appartement.

Après avoir examiné soigneusement ces objets variés — il ouvrit même le boîtier de la montre pour voir si rien n'y était caché — Spade se pencha par-dessus son bureau pour tâter le pouls de Cairo. Puis il lui lâcha le poignet, se rassit, roula et alluma une autre cigarette. Son visage, tandis qu'il fumait, demeurait si inerte et immobile, un léger frémissement des lèvres excepté, qu'il paraissait stupide.

Quand Cairo bougea, gémit et battit des paupières, le visage du détective s'éclaira et l'ébauche d'un sourire amical apparut sur ses lèvres et dans ses yeux.

Joel Cairo revenait lentement à la surface. Il ouvrit d'abord les yeux, mais une minute s'écoula avant qu'il pût fixer un point précis du plafond. Puis il ferma la bouche, déglutit et poussa un profond soupir. Il remua une jambe, puis un bras, releva la tête, regarda autour de lui d'un air désemparé, aperçut Spade et se redressa brusquement. Il ouvrit la bouche comme s'il allait parler, sursauta, porta la main à sa joue où le poing de Spade avait laissé un joli cocard.

— J'aurais pu vous tuer, monsieur Spade, dit-il péniblement.

— Vous auriez pu essayer, admit Spade.

— Je ne l'ai pas fait.

— Je sais.

— Alors pourquoi m'avez-vous frappé après m'avoir désarmé ?

— Désolé, fit Spade avec un sourire de loup, mais imaginez ma déception en constatant que votre offre de cinq mille dollars n'était qu'un bluff.

— Vous vous trompez, monsieur Spade, c'était, c'est encore une offre sérieuse.

— Par exemple ! fit Spade avec une surprise non feinte.

— Je suis disposé à payer cinq mille dollars pour cette figurine, dit Cairo lâchant sa joue et retrouvant son attitude décidée d'homme d'affaires. L'avez-vous ?

— Non.

— Si elle n'est pas ici, dit-il d'un ton de suspicion polie, pourquoi avez-vous risqué une blessure grave pour m'empêcher de la rechercher ?

— Alors je devrais laisser les gens s'amener ici, ricana Spade, et me faire réciter l'alphabet morse.

Il montra du doigt les objets posés sur le bureau.

— Vous avez mon adresse particulière, ajouta-t-il. Vous y êtes déjà allé ?

— Oui, monsieur Spade. Je suis prêt à payer cinq mille dollars pour recouvrer la statuette, mais il est assez naturel que j'essaye d'éviter à son propriétaire le paiement d'une telle somme.

— Qui est le propriétaire ?

— Il faudra me pardonner de ne pas répondre à cette question, répondit Cairo en secouant la tête avec un sourire.

— Croyez-vous ? dit Spade soudain penché en avant. Je vous tiens, Cairo. Vous vous êtes amené ici et vous vous êtes bien assez découvert pour intéresser les flics, surtout après ce double meurtre. Il faudra jouer mon jeu, sinon...

Cairo sourit tranquillement.

— J'ai fait une enquête approfondie sur vous avant de venir vous voir, dit-il. On m'a assuré que vous étiez trop raisonnable pour laisser intervenir des considérations sans intérêt dans une affaire vraiment profitable.

— Où est l'affaire ? fit Spade, haussant les épaules.

— Je vous ai offert cinq mille dollars...

Spade frappa le portefeuille de Cairo du dos de la main.

— Il n'y a pas cinq mille dollars là-dedans. Vous jouez sur le velours. Vous pourriez me raconter que vous paierez un million de dollars pour un éléphant rose ! Et ensuite ?

— Je vois, je vois, murmura Cairo, pensif. Vous voudriez une assurance de ma bonne foi. (Il se passa le bout du doigt sur sa lèvre inférieure rouge.) Une provision ferait-elle l'affaire ?

— Possible.

Cairo étendit le bras vers son portefeuille, hésita, retira sa main et dit ·

— Prenez, disons, cent dollars.

Spade saisit le portefeuille et en tira un billet de cent dollars. Puis il fronça les sourcils.

— Disons plutôt deux cents, déclara-t-il en se servant.

Cairo ne bougea pas.

— Votre première supposition était que j'avais l'oiseau, dit Spade d'une voix nette après avoir empoché les deux cents dollars et remis le portefeuille sur le bureau. Vous vous êtes gouré. Quelle est la seconde ?

— Que vous savez où il est, ou bien que vous savez pouvoir facilement trouver l'endroit.

Spade, impassible, parut n'avoir pas entendu.

— Pouvez-vous me prouver que votre bonhomme est le propriétaire ?

— A vrai dire non, malheureusement, mais je peux vous dire ceci : personne ne peut fournir une preuve authentique à cet égard. Si vous en savez sur l'affaire aussi long que je le crois — sinon je ne serais pas ici —, vous n'ignorez pas que la façon dont l'objet d'art a été enlevé au dernier possesseur démontre que celui-ci avait des droits précis... plus précis que ceux de Thursby.

— Et sa fille ? demanda brusquement Spade.

Cairo, surexcité, écarquilla les yeux, ouvrit la bouche, rougit et prit une voix criarde.

— Ce n'est pas lui le vrai propriétaire ! glapit-il.

— Oh ! fit Spade doucement, d'un ton ambigu.

— Est-il à San Francisco, actuellement ? demanda Cairo moins haut, mais toujours excité.

— Si nous jouions cartes sur table ? suggéra Spade tout en clignant des yeux comme un qui a sommeil.

Cairo eut un bref sursaut et recouvra son sang-froid.

— Je ne crois pas que cela soit plus avantageux, dit-il d'une voix suave. Si vous en savez plus que moi, je profiterai de vos renseignements et vous empocherez les cinq mille dollars. Sinon, je me suis trompé, et suivre votre suggestion serait m'enferrer un peu plus.

Spade hocha la tête avec indifférence et désigna de la main les objets posés sur le bureau.

— Ramassez votre bazar, dit-il.

Et, tandis que Cairo s'exécutait, il continua :

— Il est entendu que tous mes frais seront payés pendant que je m'efforcerai de retrouver votre oiseau noir, plus cinq mille dollars à la remise de la statuette.

— Oui, monsieur Spade, c'est-à-dire que vous recevrez cinq mille dollars, moins les avances qui auront pu vous êtes faites. Cinq mille dollars en tout.

— Parfait. Et c'est une affaire sérieuse, reprit Spade dont le visage demeurait immobile à l'exception des rides qui se dessinaient aux coins de ses yeux. Vous ne m'engagez pas pour descendre des gens ou pour jouer les casseurs pour votre compte, mais simplement pour récupérer l'objet, honnêtement et légalement si possible ?

— Si possible, approuva Cairo, dont le visage, à l'exception du regard, était également solennel. En tout cas, discrètement, ajouta-t-il, prenant son chapeau. Je suis à l'hôtel Belvedere, chambre 635, si vous voulez me joindre. Je suis persuadé que nous n'aurons qu'à nous féliciter des résultats de notre association, monsieur Spade.

Il hésita une seconde.

— Puis-je avoir mon pistolet ?

— Sûr, dit Spade, je l'avais oublié.

Il le tira de sa poche et le tendit au Levantin.

Cairo braqua l'arme sur la poitrine de Spade.

— Posez vos mains à plat sur le buvard, dit-il ; je désire fouiller votre bureau.

— Nom de Dieu ! fit Spade. (Puis il eut un rire guttural et dit :) Allez-y, après tout, je vous laisse faire.

VI

LE SUIVEUR MALINGRE

Après le départ de Joel Cairo, Spade demeura près d'une demi-heure assis devant son bureau, immobile, les sourcils froncés. Brusquement il déclara à haute voix du ton de quelqu'un qui renonce à se casser la tête :

— Après tout, c'est eux qui crachent.

Il sortit d'un tiroir double de son bureau une bouteille de manhattan cocktail et une timbale de carton. Il l'emplit aux deux tiers, la vida, remit la bouteille en place et jeta le gobelet dans la corbeille à papiers. Puis il se leva, mit son chapeau, endossa son pardessus, éteignit l'électricité et quitta le bureau.

Dans la rue brillamment éclairée, un blanc-bec malingre, d'une vingtaine d'années, en pardessus, coiffé d'une casquette grise, faisait le poireau au coin du building.

Spade remonta Sutter Street, puis entra dans un débit de tabac pour acheter deux paquets de Bull Durham. Quand il ressortit, le blanc-bec attendait avec d'autres personnes, sur le trottoir opposé à l'arrêt d'un tram.

Le détective dîna au Herbert's Grill, dans Power Street. Quand il quitta le restaurant, à huit heures moins le quart, le blanc-bec léchait la vitrine d'un chemisier.

Spade se rendit à l'hôtel Belvedere et demanda Cairo. On lui répondit qu'il était sorti. Le blanc-bec était assis dans le fond du hall.

Alors, Spade se rendit au Geary Theatre et, ne voyant pas Cairo dans l'entrée, se posta sur le trottoir. Le blanc-bec s'était mêlé à quelques badauds, arrêtés un peu plus bas, devant le restaurant Marquart.

A huit heures dix, Joel Cairo fit son apparition, remontant Geary Street de son pas sautillant. Il ne vit pas Spade. Le détective s'approcha et lui toucha l'épaule. Cairo manifesta une surprise modérée puis déclara :

— Ah oui ! bien sûr, vous aviez vu mon billet.

— C'est ça. Je voudrais vous montrer quelque chose, dit Spade, tirant Cairo par le bras vers le bord du trottoir, un peu à l'écart des gens qui attendaient pour entrer dans le théâtre. Vous voyez ce gamin en casquette, devant Marquart ?

— Attendez, murmura Cairo.

Il tira sa montre, puis regarda d'abord vers le bas de Geary Street. Ensuite, il examina une immense affiche théâtrale représentant George Arliss en Shylock. Enfin, ses yeux noirs louchèrent vers le blanc-bec au visage pâle sous sa casquette et dont les longs cils recourbés dissimulaient les yeux baissés.

— Qui est-ce ? demanda Spade.

— Je ne le connais pas, déclara Cairo en souriant.

— Il ne m'a pas lâché d'une semelle.

Du bout de la langue, Cairo humecta sa lèvre inférieure et demanda :

— Dans ce cas, croyez-vous qu'il était avisé de nous faire voir ensemble ?

— Comment le saurais-je ? répliqua Spade. En tout cas, c'est fait.

Cairo ôta son chapeau, lissa ses cheveux de sa main gantée, remit son chapeau et déclara avec toutes les apparences d'une candeur parfaite :

— Je vous donne ma parole que je ne le connais pas, monsieur Spade, et que je n'ai jamais eu affaire à lui. Vous êtes la seule personne dont j'ai sollicité l'appui.

— Alors, il doit être de l'autre bande ?

— Peut-être.

— Je tenais à le savoir, car s'il devient gênant, il pourrait avoir de petits ennuis.

— Faites au mieux ; ce n'est pas un de mes amis.

— Parfait. Le rideau se lève. Entrez. Bonsoir.

Spade traversa la rue et grimpa dans un tramway en direction de l'ouest.

Le blanc-bec monta derrière lui.

Spade descendit à l'arrêt de Hyde Street et rentra chez lui. L'appartement n'était pas sens dessus dessous, mais il avait été visiblement fouillé. Spade prit un bain, changea de linge, ressortit, gagna Sutter Street et sauta dans un tramway allant vers l'ouest.

Le blanc-bec sauta derrière lui.

A cinq ou six blocks du Coronet, Spade descendit et s'arrêta devant un vaste building d'appartements. Il pressa en même temps trois boutons de sonnettes ; la minuterie grésilla. Spade entra, passa devant l'ascenseur et l'escalier, suivit un long corridor jusqu'aux derrières du bâtiment, franchit une porte munie d'une serrure Yale, déboucha dans une cour étroite, d'où il gagna une ruelle sombre qu'il suivit sur deux blocks. Puis il rejoignit California Street et entra au Coronet. Il n'était pas neuf heures trente.

Miss O'Shaughnessy accueillit Spade avec un empressement qui lui donna à penser que la jeune fille n'était pas certaine de le voir revenir. Elle portait une robe de satin bleu, de la nuance baptisée, cette année-là, « ardoise », avec des rubans d'épaule calcédoine. Ses bas et ses escarpins étaient également « ardoise »

Le salon crème et rouge était rangé; décoré de fleurs disposées dans des vases noir et argent. Trois petites bûches brûlaient dans l'âtre. Spade les regardait tandis que la jeune fille emportait le chapeau et le pardessus du détective.

— M'apportez-vous de bonnes nouvelles? demanda-t-elle, en revenant dans la pièce.

Elle était anxieuse, malgré son sourire, et retenait son souffle.

— Nous n'aurons rien à révéler de plus que ce qui a déjà été rendu public.

— Alors, la police ne saura pas...

— Non.

Elle poussa un soupir de soulagement et s'assit sur le canapé. Son visage et son corps tout entier se détendirent. Elle sourit à Spade avec des yeux admiratifs.

— Comment avez-vous fait? demanda-t-elle, plus surprise que curieuse.

— A San Francisco, tout ou presque tout s'achète... ou se prend, dit-il.

— Et vous n'aurez pas d'ennuis? Asseyez-vous.

Elle lui fit une place auprès d'elle.

— Je ne déteste pas une honnête dose d'ennuis, déclara-t-il sans aménité.

Il était planté debout près du feu et regardait Miss O'Shaughnessy, l'étudiant, la jaugeant, la jugeant, sans dissimuler. Elle rougit légèrement sous la franchise de son regard, mais elle paraissait plus sûre d'elle qu'auparavant, malgré la bienséante expression de timidité qui n'avait pas quitté ses yeux. Il demeura immobile jusqu'à ce qu'il apparût nettement qu'il refusait de s'asseoir près d'elle, puis il marcha vers le canapé.

— Vous n'êtes pas exactement le genre de personnage dont vous jouez le rôle, n'est-ce pas ? dit-il en s'asseyant.

— Je ne suis pas sûre de vous comprendre, dit-elle en le regardant avec étonnement.

— Ces minauderies de collégienne, expliqua-t-il, ces hésitations, ces rougeurs soudaines, etc.

Elle rougit brusquement et répondit très vite, sans le regarder.

— Je vous ai déjà dit que j'avais été une mauvaise femme, pire que vous ne pouvez l'imaginer.

— Voilà exactement ce que je voulais dire, répondit-il. Vous m'avez déjà dit ça cet après-midi, du même ton, avec les mêmes mots : vous avez appris votre laïus par cœur.

Après quelques secondes pendant lesquelles elle parut confondue au point d'éclater en sanglots, elle se mit à rire.

— Très bien, monsieur Spade. Supposons que je ne sois pas du tout la personne que je prétends être. Supposons que j'aie quatre-vingts ans, que je sois une peste, que je travaille dans une usine. Mais si c'est une pose, j'ai grandi avec, et vous ne pouvez pas me demander de l'abandonner tout à fait.

— Oh ! ça ne me gêne pas, assura-t-il, mais si vous étiez aussi innocente que vous voulez le faire croire, nous n'arriverions à rien.

— Je ne serai plus innocente, promit-elle, une main sur le cœur.

— J'ai vu Joel Cairo, ce soir, dit-il sur un ton poli de conversation.

Le visage de la jeune fille se ferma. Ses yeux, fixés sur le profil de Spade, prirent une expression d'effroi, puis de méfiance. Spade avait étendu les jambes et, tête baissée, considérait distraitement ses pieds. Son visage ne laissait rien voir de ce qu'il pensait.

Il y eut un long silence, puis elle demanda, gênée :

— Vous... vous le connaissez ?

— Je l'ai vu ce soir.

Spade n'avait pas levé le nez et gardait un ton négligent.

— Il allait voir George Arliss, ajouta-t-il.

— Vous lui avez parlé ?

— Une ou deux minutes, avant le lever du rideau.

Elle se leva et alla tisonner le feu, puis elle changea un bibelot de place, sur la cheminée ; elle traversa la pièce pour aller chercher une boîte de cigarettes sur une table, tira un rideau et revint s'asseoir. Son visage était redevenu calme.

Spade ricana et lui dit, la regardant de côté.

— Vous êtes de première, pas d'erreur.

Elle resta impassible.

— Qu'a-t-il dit ? demanda-t-elle tranquillement.

— A quel sujet ?

Elle hésita.

— A mon sujet.

— Rien, dit Spade en tournant pour tenir la flamme de son briquet sous l'extrémité de sa cigarette.

Ses yeux brillaient dans son visage triangulaire.

— Voyons, qu'a-t-il dit ? interrogea-t-elle avec une animation soudaine.

— Il m'a offert cinq mille dollars pour l'oiseau noir.

Elle sursauta et déchira sa cigarette du bout des dents. Puis elle jeta un regard alarmé sur Spade et détourna les yeux.

— Vous n'allez pas recommencer à tisonner le feu et à faire le ménage ? dit-il paresseusement.

Elle éclata d'un rire clair, jeta sa cigarette dans un cendrier et leva sur lui un regard amusé.

— Non, promit-elle ; et qu'avez-vous répondu ?

— Que cinq mille dollars étaient une jolie somme.

Elle sourit. Il la regarda gravement et son sourire s'effaça faisant place à une expression de surprise peinée.

— Vous n'envisagez tout de même pas... balbutia-t-elle.

— Pourquoi pas ? Cinq mille dollars, c'est un joli magot.

— Mais, monsieur Spade, vous avez promis de m'aider. (Elle saisit son bras à deux mains.) Je me suis confiée à vous, vous ne pouvez pas...

Elle s'interrompit, lâcha le bras du détective et se tordit les mains.

Spade sourit doucement et la regarda droit dans les yeux.

— Ne cherchons pas à calculer dans quelle mesure vous vous êtes confiée à moi, dit-il. J'ai promis de vous aider, bien sûr, mais vous ne m'avez jamais parlé du moindre oiseau noir.

— Mais vous deviez le savoir... ou vous ne .n'en auriez pas parlé... Vous le savez maintenant. Vous ne pouvez... Vous ne pouvez pas me traiter comme ça.

Ses yeux étaient deux lumineuses prières bleu de cobalt.

— Cinq mille dollars, dit-il pour la troisième fois, c'est une jolie somme.

Elle haussa les épaules, leva les mains puis les laissa retomber dans un geste de défaite.

— C'est juste, dit-elle d'une voix sourde, c'est beaucoup plus que je ne pourrais jamais vous offrir pour prix de votre dévouement.

Spade éclata de rire : un rire bref et amer.

— J'adore ça, dit-il, venant de vous. Que m'avez-vous donné sinon de l'argent ? Vous êtes-vous confiée à moi ? M'avez-vous dit la vérité ? M'avez-vous aidé à vous tirer d'affaire ? N'avez-vous pas tenté d'acheter mon dévouement avec de l'argent et rien d'autre ? Alors, si je suis à vendre, pourquoi pas au plus offrant ?

— Je vous ai donné tout l'argent que j'avais, dit-elle.

Des larmes roulèrent dans ses yeux. Sa voix était rauque, vibrante.

— Je me suis jetée à vos pieds, je vous ai dit que sans votre aide j'étais fichue.

Elle se rapprocha brusquement de lui et cria avec fureur ·

— Puis-je vous acheter avec mon corps?

Leurs visages se touchaient presque. Spade prit celui de la jeune femme entre ses deux mains et l'embrassa sur la bouche, rudement, avec un peu de mépris, puis il s'écarta : son visage était dur et contracté.

— C'est à voir! dit-il.

Elle ne bougea pas. Elle se tenait les joues là même où les mains de Spade venaient de la toucher.

— Bon Dieu! jura-t-il en se levant, tout ça ne tient pas debout!

Il fit deux pas vers le feu et s'arrêta, tête baissée, les dents serrées, considérant les bûches rougeoyantes.

Elle ne fit pas un geste.

Il se retourna et lui fit face. Deux rides profondes entre les sourcils barraient verticalement son front.

— Je me fous pas mal de votre honnêteté! grogna-t-il, s'efforçant au calme, je me fous de vos combines et de vos secrets, mais il faut me prouver que vous savez où vous allez!

— Je le sais. Je vous prie de croire que je le sais, que tout ira bien et...

— Prouvez-le! coupa-t-il d'un ton impératif. Je suis prêt à vous aider. J'ai fait jusqu'ici tout mon possible. Je suis même disposé à foncer à l'aveuglette, si vous m'inspirez confiance. Prouvez-moi que vous savez de quoi il s'agit, que vous n'avancez pas au petit bonheur la chance, dans l'espoir que tout finira par s'arranger.

— Ne pouvez-vous me faire confiance, encore un peu?

— Combien durera cet *encore un peu*? Qu'est-ce que vous attendez?

Elle se mordit la lèvre et baissa la tête.

— Il faut que je voie Joel Cairo, murmura-t-elle très bas.

— Vous pouvez le voir ce soir, dit Spade regardant sa montre. Le spectacle est bientôt fini. On pourra le joindre par téléphone à son hôtel.

Elle leva les yeux, soudain alarmée.

— Mais il ne peut venir ici, s'écria-t-elle. Je ne veux pas qu'il sache où je suis. J'ai peur.

— Chez moi ? suggéra Spade.

Elle hésita, remua les lèvres et demanda :·

— Croyez-vous qu'il viendra ?

Spade fit un signe de tête affirmatif.

— C'est ça, s'écria-t-elle, en sautant sur ses pieds, les yeux agrandis et brillants. Allons-y tout de suite.

Elle disparut dans sa chambre. Sans bruit, Spade s'approcha de la table et tira doucement le tiroir. Il ccntenait deux jeux de cartes, un bloc de marques de bridge, une vis de cuivre, un bout de ficelle rouge et un porte-mine en or. Il avait repoussé le tiroir et allumait une cigarette quand elle revint vêtue d'un manteau de fourrure gris et d'une petite toque noire. Elle apportait le chapeau et le pardessus de Spade.

Leur taxi vint se placer derrière une conduite intérieure noire arrêtée devant l'immeuble de Spade. Iva Archer était seule dans la voiture, assise au volant. Spade souleva son chapeau et entra dans la maison, suivi de Brigid O'Shaughnessy. Dans le hall, il s'arrêta près d'un canapé.

— Voulez-vous m'attendre là un instant, dit-il ; je reviens tout de suite.

— Certainement, dit-elle en s'asseyant. Prenez votre temps.

Il sortit et s'approcha de la bagnole. Il ouvrit la portière et Iva se mit à parler, très vite.

— Il faut que je te parle, Sam. Puis-je monter ?

Elle était pâle et agitée.

— Pas maintenant, dit-il.

Elle claqua brusquement des dents et demanda :

— Qui est cette fille ?

— Je n'ai qu'une minute, Iva, dit patiemment Spade. Que veux-tu ?

— Qui est-ce ? répéta-t-elle, montrant la porte d'un signe de tête.

Il se détourna et regarda dans la rue. Un peu plus loin, devant un garage, un blanc-bec malingre, en casquette grise, montait la garde, accoté au mur. Spade fronça les sourcils et regarda Iva qui ne l'avait pas quitté des yeux.

— Qu'est-ce qui se passe ? demanda-t-il. Il est arrivé quelque chose ? Tu ne devrais pas être là à une heure pareille.

— Je commence à le croire, gémit-elle. Tu m'as dit de ne pas aller à ton bureau et tu me dis de ne pas venir ici. Si tu veux dire qu'il n'y a pas moyen de te voir, ne prends pas de gants.

— Iva, tu n'as pas le droit de me dire ça.

— Je le sais. Je n'ai aucun droit sur toi, apparemment. Je le croyais. Je croyais que tu prétendais m'aimer...

— On ne va pas commencer à discuter de ça ici, mon chou, dit Spade d'un ton las. Pourquoi voulais-tu me voir ?

— Je ne peux pas te parler ici, Sam. Laisse-moi monter.

— Pas maintenant.

— Pourquoi ?

Spade ne répondit pas.

Ses lèvres s'amincirent, elle se redressa, crispa ses mains sur le volant et appuya sur le démarreur, les yeux fixés droit devant elle.

La voiture démarra, Spade dit : « Bonsoir, Iva », ferma la portière et attendit au bord du trottoir, le chapeau à la main, jusqu'à ce que la bagnole eût disparu. Puis il tourna sur ses talons et rentra.

Brigid O'Shaughnessy se leva, souriante, et ils se dirigè-
rent vers l'ascenseur.

VII

QUI EST « G » ?

Dans sa chambre — transformée en *living-room* quand le
lit bascule était relevé contre le mur — Spade prit le
manteau et le chapeau de Brigid O'Shaughnessy et installa
la jeune fille dans un confortable rocking-chair. Puis il
téléphona au Belvedere. Cairo n'était pas rentré. Spade
laissa son numéro et demanda que Cairo le rappelât dès son
retour.

Spade s'assit dans un fauteuil, près de la table et, sans
préliminaires, sans la moindre remarque, il raconta à la
jeune fille une histoire qui s'était passée quelques années
auparavant dans une ville du Nord-Ouest. Il parlait d'une
voix calme, sans emphase, ni effets, et répétait, par intervalles, certaines phrases en les modifiant comme s'il était
important que tous les détails de l'événement fussent
exposés avec la plus grande précision.

Au début, Brigid O'Shaughnessy, surprise, n'écoutait que
d'une oreille, visiblement plus intéressée par le ton de
Spade que par les détails du récit. Mais, au fur et à mesure
que celui-ci se développait, son attention s'éleva graduellement. Finalement elle cessa de se tortiller et ne perdit plus
une parole.

Un nommé Flitcraft, agent immobilier à Tacoma, avait
quitté son bureau, un jour, pour aller déjeuner. Il n'était
pas revenu. Il n'était pas allé jouer au golf, à quatre heures,
ce jour-là, comme il l'avait pourtant promis à un ami, juste
avant de sortir déjeuner. Sa femme et ses enfants ne le

revirent plus. Les deux époux étaient en bons termes; ils avaient deux garçons : cinq ans et trois ans. Flitcraft était propriétaire de sa maison dans les faubourgs de Tacoma, d'une Packard neuve et menait la vie d'un Américain aisé.

Cet homme avait hérité de son père soixante-dix mille dollars. Son agence immobilière prospérait. Flitcraft valait deux cent mille dollars au moment de sa disparition. Ses affaires étaient en ordre, avec pourtant assez de points de détail en suspens pour prouver qu'il n'avait pas prévu sa disparition. Par exemple, une transaction importante qui lui aurait procuré un bénéfice appréciable devait être signée le lendemain. Il était apparemment parti avec cinquante ou soixante dollars au plus. Ses habitudes régulières ne permettaient pas de faire entrer en ligne de compte des vices secrets ou même l'existence d'une autre femme, bien qu'il fût impossible d'en jurer.

— Il s'est volatilisé comme ça! fit Spade, comme un poing quand vous ouvrez la main.

Parvenu à ce point de son histoire, le téléphone se mit à sonner.

— Allô? dit Spade, prenant le récepteur, monsieur Cairo?... Ici, Spade. Pouvez-vous venir chez moi?... Oui... Post Street... Immédiatement... Oui, c'est important...

Il se tourna à demi vers la jeune fille, fit la moue et dit très vite :

— Miss O'Shaughnessy est ici et voudrait vous voir.

Brigid O'Shaughnessy fronça les sourcils, remua dans son rocking-chair, mais ne dit rien.

Spade raccrocha.

— Il sera ici dans quelques minutes, dit-il.

» Ceci se passait donc en 1922. En 27, je travaillais pour une agence privée de Seattle. Mme Flitcraft vint un jour nous informer que l'on avait vu à Spokane un homme qui ressemblait étrangement à son mari. J'y allai. C'était bien Flitcraft. Il vivait là depuis deux ans, sous le nom de Pierce; il avait conservé son prénom : Charles. Il était à la tête

d'une affaire d'automobiles qui lui rapportait vingt ou
vingt-cinq mille dollars par an. Il avait une femme, un
bébé. Il était propriétaire de la maison qu'il habitait, dans
un faubourg de Spokane, et il aimait, pendant la belle
saison, jouer au golf, après quatre heures.

Spade n'avait pas reçu d'instructions précises au cas où il
retrouverait Flitcraft. Ils avaient discuté dans la chambre
de Spade au Davenport. Flitcraft n'éprouvait aucun senti-
ment de culpabilité. Il avait laissé sa famille à l'abri du
besoin et sa conduite lui paraissait parfaitement raisonnable. Une seule chose l'inquiétait : la crainte qu'il ne pût
convaincre son interlocuteur. Il n'avait encore raconté son
histoire à personne, jamais tenté d'exposer les raisons qui
l'avaient poussé à agir ainsi et il s'efforçait de persuader
Spade qu'il avait eu d'excellentes raisons de fuir.

— Je pigeais ça très bien, dit Spade à Brigid
O'Shaughnessy, mais Mme Flitcraft n'a jamais compris.
Elle trouvait ça idiot. Peut-être. En tout cas, les choses se
sont arrangées. Elle ne voulait pas de scandale et après le
tour qu'il lui avait joué — elle voyait la chose comme ça —
elle ne tenait pas à le revoir. Ils ont divorcé à la papa, et
voilà.

» Voici ce qui était arrivé à Flitcraft. En allant déjeuner,
il était passé près d'un building en construction, un simple
échafaudage. Une poutre, ou je ne sais quoi, était tombée du
huitième étage, ou du dixième, et s'était écrasée sur le
trottoir, à le toucher. Il n'avait rien eu, excepté une légère
déchirure à la joue, causée par un éclat de pierre. La
cicatrice était encore apparente quand j'ai vu Flitcraft. Il la
caressait du bout du doigt, avec une sorte de satisfaction, en
me racontant son histoire. Il avait eu une trouille bleue,
bien entendu, mais au fond, il avait été plus sensible au
choc qu'à la frousse. C'était comme si quelqu'un venait de
soulever devant lui le couvercle de la vie pour lui montrer
les rouages de la machine, il disait.

» Flitcraft avait été bon citoyen, bon mari et bon père,

sans effort, simplement, parce que la vie qu'il menait lui plaisait. Il avait été élevé comme ça. Les gens qu'il fréquentait en faisaient autant. Sa vie, comme la leur, était nette, ordonnée, saine, raisonnable. Et voilà que la chute d'une poutre lui révélait brusquement que la vie n'avait rien à voir avec tout ça. Le bon citoyen, bon père et bon mari, pouvait être liquidé entre son bureau et le restaurant par une poutre tombant du ciel. Il avait compris que les hommes meurent au hasard et ne vivent qu'épargnés par ce hasard aveugle.

» Ce ne fut pas, tout d'abord, l'injustice de la chose qui l'inquiéta : il accepta le fait après le premier choc. Ce qui l'inquiétait, c'était de découvrir soudain qu'en ordonnant sa vie, il n'était pas d'accord avec la vie, mais en plein désaccord. Il n'avait pas fait vingt pas, après l'accident, qu'il avait compris qu'il ne retrouverait pas la paix avant d'avoir adapté son existence à ce nouvel ordre d'idées. A la fin de son déjeuner, il avait trouvé la solution. Sa vie pouvait être brusquement interrompue par la chute d'une poutre ; il en changerait brusquement le cours en disparaissant. Il aimait sa famille, disait-il, comme un homme est censé l'aimer, mais il la laissait largement à l'abri du besoin, abondamment pourvue de moyens matériels. Quant à son amour pour elle, il n'était pas de ceux qui rendent l'absence douloureuse.

» Il est parti pour Seattle le jour même, dit Spade et de là il a pris le bateau pour San Francisco où il a vécu pendant deux ans avant de regagner le Nord-Ouest. Puis il s'est installé à Spokane et s'est marié. Sa seconde femme, physiquement, ne ressemblait pas à la première, mais au fond, elles n'étaient guère différentes. Vous connaissez ce genre de femmes qui jouent convenablement au golf et au bridge et adorent expérimenter de nouvelles recettes de cuisine. Flitcraft ne regrettait pas sa fugue : elle lui semblait raisonnable. Il ignorait même, je crois qu'il était retombé dans la même ornière qu'à Tacoma. Et c'est

justement ça qui m'a toujours paru épatant. Il avait
modifié le cours de sa vie en songeant à la chute d'une
poutre. Il ne tombait plus de poutre, alors il s'était réadapté
à une vie où il n'en tombait plus.

— Absolument captivant! déclara Brigid
O'Shaughnessy.

Elle se leva et vint se coller contre lui, les yeux agrandis.

— Inutile de vous dire dans quel état d'infériorité vous
allez me mettre devant Cairo. A moins que ce ne soit
calculé.

Spade sourit, bouche fermée.

— Non, c'est inutile en effet, admit-il.

— Et vous savez, reprit-elle, que je n'aurais jamais pris
ce risque si je n'avais eu en vous une entière confiance.

Elle saisit entre le pouce et l'index un bouton de son
veston bleu.

— Ça vous reprend, soupira Spade avec une ironique
résignation.

— Mais vous savez bien que c'est vrai, insista-t-elle.

— Non, je ne le sais pas, dit-il, caressant la main qui
tripotait le bouton. C'est parce que je vous ai demandé des
raisons de me fier à vous que vous êtes venue ici. Ne
confondons pas. Il n'est pas nécessaire que vous vous fiiez à
moi tant que vous pourrez me persuader de me fier à vous.

Elle l'examinait attentivement, les narines frémissantes.
Il se mit à rire et caressa de nouveau la main de la jeune
fille.

— Ne vous frappez pas. Il va arriver. Dites-lui ce que
vous avez à lui dire et nous aviserons.

— Et vous me laisserez discuter — avec lui — et agir... à
mon gré ?

— Absolument.

Elle retourna la main qu'il tenait et ses doigts pressèrent
ceux de Spade.

— Vous êtes ma providence, dit-elle doucement.

— N'exagérons rien, dit-il.

Elle lui jeta un regard de reproche, mais elle souriait en se rasseyant dans son fauteuil.

*

Joel Cairo était inquiet. Ses yeux paraissaient plus sombres, avec les iris dilatés. Avant que Spade eût fini d'ouvrir la porte, il avait déjà commencé à crier d'une voix aiguë et flûtée.

— Ce voyou est dehors ; il surveille la maison, monsieur Spade, ce gamin que vous m'avez montré, ou à qui vous m'avez désigné devant le théâtre. Que dois-je en conclure, monsieur Spade ? Je suis venu ici en toute bonne foi, sans songer à un piège.

— C'est en toute bonne foi que je vous ai convoqué, dit Spade les sourcils froncés, mais j'aurais dû me méfier de ce morveux. Il vous a vu entrer ?

— Evidemment j'aurais pu ne pas m'arrêter, mais, puisqu'il nous a déjà vus ensemble...

Brigid O'Shaughnessy s'avança dans le couloir, derrière Spade, et demanda, inquiète :

— Quel gamin ?

Cairo souleva son chapeau noir, s'inclina avec raideur et déclara :

— Demandez à M. Spade, si vous ne le savez pas ; tout ce que je sais, c'est de lui que je le tiens.

— C'est un petit mouchard qui m'a suivi toute la soirée, expliqua négligemment le détective, par-dessus son épaule, sans se retourner. Entrez, Cairo, il est inutile de discuter ici pour la distraction des voisins de palier.

Brigid O'Shaughnessy saisit le bras de Spade au-dessus du coude.

— Vous a-t-il suivi jusque chez moi ?

— Non. Je l'ai semé avant de venir vous voir. Il a dû revenir ici reprendre la piste.

Cairo, tenant son chapeau sur son ventre, entra. Spade

referma la porte et ils passèrent dans le salon. Puis Cairo s'inclina de nouveau et dit :

— Je suis enchanté de vous revoir, Miss O'Shaughnessy.

— Je n'en doute pas, Joel, répondit-elle en lui tendant la main.

Il s'inclina sur la main tendue et la lâcha très vite.

Elle se réinstalla dans le rocking-chair. Cairo prit le fauteuil placé près de la table. Spade, après avoir accroché dans la penderie voisine le chapeau et le manteau de Cairo, vint s'asseoir sur le canapé, près des fenêres, et se mit à rouler une cigarette.

— Sam m'a dit que vous aviez fait une offre pour le faucon, dit la jeune fille. Quand disposerez-vous de la somme ?

Cairo leva les sourcils puis sourit.

— Elle est toute prête, dit-il.

Il continua de sourire en regardant la jeune fille, puis se tourna vers Spade : celui-ci allumait tranquillement sa cigarette.

— En espèces ? demanda-t-elle.

— Bien entendu, dit Cairo.

Elle passa sa langue sur ses lèvres et demanda :

— Etes-vous prêt à nous remettre cinq mille dollars si nous livrons le faucon ?

Cairo leva une main qui frétillait.

— Pardon, dit-il, je me suis mal fait comprendre. Je n'ai pas voulu dire que j'avais la somme sur moi, mais que j'étais prêt à me la procurer en quelques minutes, aux heures d'ouverture des banques.

— Oh! fit-elle, regardant Spade.

Celui-ci souffla une bouffée de fumée contre son gilet, et dit :

— C'est vraisemblable. Il n'avait que quelques centaines de dollars sur lui cet après-midi quand je lui ai fait les poches.

Il sourit en voyant la jeune fille écarquiller les yeux.

Cairo, penché en avant, dissimulait mal son impatience.

— Je suis prêt à vous remettre l'argent demain matin, à six heures et demie. Alors ?

Brigid O'Shaughnessy sourit.

— Mais, je n'ai pas le faucon, dit-elle.

Le visage de Cairo s'assombrit. Il posa ses vilaines mains sur les bras du fauteuil, redressa son buste court et se tint droit comme un I. Ses yeux sombres brillaient de colère. Il ne dit rien.

La jeune fille fit une grimace comme pour l'amadouer.

— Mais je l'aurai dans une semaine, au plus tard, murmura-t-elle.

— Où est-il ? demanda Cairo, d'un ton de doute poli.

— Où Floyd l'a caché.

— Floyd ? Thursby ?

Elle fit un signe de tête affirmatif.

— Et vous savez où il l'a caché ?

— Je le crois.

— Alors pourquoi attendre une semaine ?

— Peut-être pas une semaine tout entière. Pour le compte de qui l'achetez-vous, Joel ?

— Je l'ai dit à M. Spade : pour le compte de son propriétaire.

La surprise se peignit sur le visage de Brigid.

— Alors, vous êtes retourné avec lui ?

— Naturellement.

Elle eut un rire de gorge, très doux.

— J'aurais bien voulu voir ça, dit-elle.

Cairo haussa les épaules.

— On ne pouvait pas finir autrement, dit-il, frottant le dos d'une main avec la paume de l'autre et voilant à demi son regard sous ses paupières baissées. Si je puis, à mon tour, vous poser une question, pourquoi consentez-vous à me vendre le faucon ?

— J'ai peur, répondit-elle simplement, après ce qui est arrivé à Floyd. C'est pour cela que je ne l'ai pas. J'ai peur

d'y toucher si ce n'est pour m'en débarrasser immédiatement.

Spade, appuyé sur un coude, les regardait, écoutant sans
prendre parti. Son corps détendu, son visage sans expression ne marquaient ni curiosité ni impatience.

— Qu'est-il arrivé à Floyd, exactement ? demanda Cairo
à voix basse.

Brigid O'Shaughnessy traça vivement de l'index un « G »
dans le vide.

— Je vois, dit Cairo, avec un sourire de doute. Il est ici ?

— Je l'ignore, répondit-elle, avec un peu d'impatience.
Quelle différence cela fait-il ?

— Cela peut faire un monde de différence, dit Cairo, dont
le sourire dubitatif s'accentua.

Il réunit ses mains à hauteur de ceinture : intentionnelle-
ment ou non, un index était pointé vers Spade.

La jeune fille regarda un instant le doigt tendu, puis elle
eut un mouvement d'impatience.

— Ou moi, dit-elle, ou vous.

— Exactement. Nous pourrions peut-être ajouter pour
plus de précision ce garçon qui attend dehors.

— Oui, approuva-t-elle en riant. Oui, à moins que ce ne
soit celui que vous aviez à Constantinople.

Cairo rougit brusquement.

— Celui que vous n'avez pas réussi à vous envoyer !
glapit-il d'une voix blanche.

Brigid sauta sur ses pieds en se mordant la lèvre ; ses
yeux sombres s'agrandirent dans son visage blême. Elle fit
deux pas rapides vers Cairo qui se levait, balança la main
droite et lui assena une gifle qui lui laissa sur la joue la
trace de ses doigts. Cairo grogna et la gifla à son tour. Elle
chancela en poussant un cri étouffé.

Impassible, Spade, qui s'était levé, vint se placer entre les
deux adversaires. Il prit Cairo à la gorge et le secoua. Cairo
gargouilla et fouilla dans sa poche. Spade lui saisit le
poignet, le tira hors de la poche et le tordit. Les doigts

mous s'ouvrirent et lâchèrent l'automatique qui tomba sur le tapis.

Brigid le ramassa vivement.

Cairo parlait difficilement à cause des doigts de Spade qui comprimaient sa gorge.

— C'est la seconde fois que vous portez la main sur moi, dit-il au détective.

Ses yeux, un peu saillants dans son visage congestionné, étaient froids et menaçants.

— Oui, grommela Spade, et si ça ne vous plaît pas, c'est le même prix.

Il lui lâcha le poignet et lui administra à la volée, de sa forte main ouverte, trois solides beignes.

Cairo tenta de lui cracher à la figure, mais il avait la bouche trop sèche. Spade lui gifla la bouche : le coup déchira la lèvre inférieure.

La sonnette de la porte résonna.

Cairo tourna vivement les yeux vers le couloir. Il n'y avait plus dans ses yeux que l'anxiété. Brigid avait poussé un cri et regardait fixement la porte. Spade considéra pendant quelques secondes le filet de sang qui coulait sur le menton de Cairo, puis il le lâcha et fit un pas en arrière.

— Qui est-ce ? murmura Brigid, s'approchant du détective.

Les yeux de Cairo posaient la même question.

— Je ne sais pas, fit Spade, irrité.

La sonnette résonna de nouveau avec insistance.

— Tenez-vous tranquilles, dit Spade.

Il sortit de la pièce, refermant la porte derrière lui.

Spade alluma dans le couloir et ouvrit la porte. Le lieutenant Dundy et Tom Polhaus étaient là, plantés sur le palier.

— Hello, Sam ! dit Tom, on pensait que t'étais peut-être pas encore au pieu.

Dundy approuva de la tête, sans rien dire.

— Salut, dit Spade gaiement, on peut dire que vous choisissez vos heures pour faire vos visites. Qu'est-ce qui se passe encore ?

— Nous désirons vous parler, Spade, dit alors Dundy, très calme.

— Allez-y, fit le détective debout dans le cadre de la porte, je vous écoute.

Tom Polhaus avança d'un pas.

— Tu vas pas nous faire rester debout ici, pour discuter, dit-il.

Spade ne bougea pas.

— Vous ne pouvez pas entrer, dit-il doucement, en s'excusant vaguement.

Le visage épais de Tom, au niveau de celui de Spade, prit une expression de reproche amical, mais ses petits yeux porcins luisaient de malice.

— Allez, bon Dieu ! Sam ! fit-il, posant sa grosse patte à plat sur la poitrine, d'un geste jovial.

Spade s'appuya contre la main de Tom et ricana :

— Tu veux jouer les terreurs.

— Oh ! Fais pas le con ! grommela le policier en retirant sa main.

— Laissez-nous entrer, fit Dundy avec un claquement de mâchoires.

La lèvre supérieure de Spade se retroussa.

— Vous n'entrerez pas, dit-il. Que comptez-vous faire ? Tenter d'entrer par force ? Discuter ici ou aller vous faire foutre ?

Tom grogna.

— Vous feriez mieux de la ramener un peu moins, Spade, dit Dundy entre ses dents. Vous vous êtes tiré des pattes plusieurs fois, mais ça ne durera pas toujours.

— C'est à vous de m'en empêcher si vous en êtes capable, dit Spade d'un air arrogant.

— C'est ce que je ferai, répliqua Dundy sous le nez de

Spade, les mains croisées derrière le dos. Paraît que vous faisiez Archer cocu ?

— Vous avez trouvé ça tout seul ? ricana Spade.

— Alors, c'est pas vrai ?

— Absolument pas.

— On dit aussi, reprit Dundy, qu'elle a essayé de divorcer pour se mettre avec vous, mais qu'Archer n'a jamais marché. Vrai ou non ?

— Non.

— On dit même, insista Dundy têtu, que c'est pour ça qu'il a fait le grand saut !

Spade paraissait rigoler doucement.

— Vous êtes trop gourmand, répondit-il. Ne cherchez pas à me fourrer sur le dos plus d'un crime à la fois. Votre première idée ne tient plus : vous prétendiez que j'avais descendu Thursby pour venger Archer.

— Je n'ai jamais dit que vous aviez tué l'un ou l'autre, répliqua le lieutenant. C'est vous qui ramenez ça tout le temps sur le tapis. Mais supposons que je l'aie dit. Vous auriez pu les rectifier tous les deux. C'est pas impossible.

— Ben voyons, fit Spade. J'aurais buté Miles pour lui piquer sa femme, et Thursby pour qu'on le soupçonne du crime ? Une combine au poil, surtout si j'en refroidis un troisième pour mettre Thursby dans le bain. Mais ça n'en finirait plus. Est-ce que vous comptez me coller sur le dos tous les crimes perpétrés à San Francisco ?

— Déconne pas, Sam, dit Tom. Tu sais bien que ça ne nous plaît pas plus qu'à toi, mais il y a le boulot.

— J'espère que vous avez autre chose à faire qu'à venir ici toutes les nuits, pour me poser des questions idiotes.

— Et récolter des couleuvres, ajouta Dundy nettement.

— Doucement, fit Spade.

Dundy le toisa et le regarda fixement.

— Si vous dites qu'il n'y a jamais rien eu entre la femme d'Archer et vous, vous mentez, dit-il, c'est comme ça.

Une lueur de surprise brilla dans les petits yeux de Tom.

Spade passa le bout de sa langue sur ses lèvres.

— C'est ça le tuyau qui vous amène, à cette heure de la nuit ? demanda-t-il.

— Ça et autre chose.

— Voyons le reste.

Le lieutenant désigna du menton la porte devant laquelle Spade était planté.

— Laissez-nous entrer, répéta-t-il.

Spade fronça les sourcils et secoua négativement la tête.

Dundy fit une grimace satisfaite.

— Donc, il y avait du vrai là-dessous, dit-il à Tom.

Celui-ci remua les pieds et marmonna sans regarder Dundy ni Spade :

— Qui sait ?

— A quoi joue-t-on ? demanda Spade. Aux charades ?

— C'est bon, Spade, on se taille, dit le lieutenant en boutonnant son manteau. Nous reviendrons vous voir. Vous avez peut-être raison de nous renvoyer. Réfléchissez.

— Entendu, dit Spade en souriant. Je vous recevrai avec plaisir quand je ne serai pas occupé.

Des cris s'élevaient dans l'appartement :

— Au secours, au secours ! Police ! Au secours !

C'était la voix pointue de Joel Cairo.

Dundy se retourna, fit face à Spade et dit nettement :

— Cette fois-ci, on entre.

Le bruit d'une courte lutte suivie d'un coup, puis u'un cri étouffé leur parvint. Spade grimaça un sourire amer.

— Ça m'en a tout l'air, dit-il.

Il s'effaça, ferma la porte derrière les deux policiers et les suivit dans le salon.

VIII

CANULAR

Brigid O'Shaughnessy était recroquevillée dans le fauteuil près de la table, les avant-bras contre les joues, le bas du visage caché dans ses genoux repliés.

Joel Cairo, debout, se penchait sur elle. Il tenait dans une main le pistolet que Spade lui avait enlevé. De l'autre, il se pressait le front ; du sang coulait entre ses doigts et jusque dans ses yeux. Sous la coupure de la lèvre, un triple filet de sang striait son menton.

Cairo n'entendit pas arriver les policiers. Il regardait fixement la jeune fille effondrée ; ses lèvres s'agitaient sans articuler le moindre son.

Dundy, entré le premier, s'élança vers Cairo en glissant une main à sa poche-revolver, sous son pardessus. De l'autre il saisit le poignet du Levantin.

— Qu'est-ce qui se passe ici ? grogna-t-il.

Cairo ôta sa main ensanglantée de son front et l'agita sous le nez du lieutenant. Une entaille profonde barrait son front.

— Voilà ce qu'elle a fait, cria-t-il. Regardez !

La jeune fille posa les pieds sur le tapis et regarda tour à tour, d'un air méfiant, Dundy qui tenait Cairo par le poignet, Polhaus debout derrière le lieutenant, et Spade paisiblement accoté à l'encadrement de la porte. Quand le regard de Brigid croisa celui de Spade, une lueur malicieuse brilla dans les yeux gris jaune du détective, puis s'éteignit aussitôt.

— C'est vous qui avez fait ça ? demanda Dundy à la jeune fille, en désignant Cairo d'un signe de tête.

Elle se tourna de nouveau vers Spade qui ne répondit pas

à son regard suppliant. Il observait les divers occupants de la pièce de l'air détaché et poli d'un spectateur indifférent.

Brigid regarda Dundy ; ses yeux sombres étaient grands ouverts et graves.

— J'ai dû le faire, dit-elle, d'une voix qui tremblait. J'étais seule avec lui quand il m'a attaquée. J'ai essayé de me dégager... je ne pouvais pas me résoudre à tirer sur lui...

— Menteuse ! cria Cairo, essayant vainement de dégager son bras armé du pistolet de l'étreinte de Dundy. Sale petite menteuse !

Il se retourna pour faire face au lieutenant.

— Elle ment, cria-t-il. J'étais venu ici tranquillement et ils m'ont attaqué, tous les deux. Quand vous avez sonné, il est sorti pour vous parler, en la laissant avec ce pistolet. Elle m'a dit qu'ils me supprimeraient après votre départ. J'ai crié au secours pour que vous ne me laissiez pas me faire assassiner ici et elle m'a assommé avec la crosse du pistolet.

— Allons, donnez-moi ça, dit Dundy, en lui enlevant l'arme. Et maintenant videz votre sac. Qu'est-ce que vous veniez faire ici ?

— Il m'a convoqué par téléphone, dit Cairo, jetant à Spade un regard de défi.

Spade eut un battement de paupières et considéra le Levantin d'un air endormi, sans rien dire.

— Pourquoi vous a-t-il demandé de venir ? interrogea Dundy.

Cairo différa un instant sa réponse tandis qu'il épongeait son front et son menton couverts de sang avec un mouchoir de soie à rayures mauves. Son indignation se transformait peu à peu en prudence.

— Il a dit qu'il voulait... qu'ils voulaient me voir. J'ignore pourquoi.

Tom Polhaus baissa la tête, renifla l'odeur de chypre dégagée par le mouchoir et se tourna vers Spade qu'il interrogea du regard.

Spade, qui roulait une cigarette, lui fit un clin d'œil.

— Alors, qu'est-il arrivé ? demanda le lieutenant.

— Ils se sont jetés sur moi. Elle m'a frappé la première, puis lui m'a saisi à la gorge et m'a pris mon pistolet dans la poche. Je ne sais pas ce qu'ils m'auraient fait ensuite si vous n'étiez pas arrivés. Ils m'auraient tué, sans doute. Quand il est allé répondre au coup de sonnette, il l'a laissée ici avec le pistolet, pour me surveiller.

Brigid O'Shaughnessy bondit sur ses pieds, criant :

— Pourquoi ne lui faites-vous pas dire la vérité ?

Et elle gifla Cairo, qui poussa un cri inarticulé.

Dundy la repoussa d'une main dans son fauteuil.

— Pas de ça, ma petite ! grogna-t-il.

Spade, allumant sa cigarette, sourit, dans un nuage de fumée.

— Elle est enragée, dit-il à Tom.

— Je veux ! appuya Tom.

Le lieutenant la regardait, les sourcils froncés.

— Quelle est la vérité, d'après vous ?

— Toujours pas ce qu'il dit, répliqua-t-elle se tournant vers Spade, n'est-ce pas ?

— Je n'en sais rien, dit Spade. Je battais une omelette dans la cuisine quand tout ça est arrivé, non ?

Elle plissa le front et l'observa d'un œil perplexe.

Tom émit un grognement dégoûté.

— S'il ment, pourquoi est-ce justement lui qui a crié au secours ? demanda Dundy faisant la sourde oreille.

— Il a eu une peur bleue quand je l'ai frappé, dit-elle, jetant au Levantin un regard méprisant.

— C'est ça ! Un autre mensonge, s'écria Cairo dont le visage — là où il n'était pas couvert de sang — rougit violemment.

Elle se leva et lui décocha un coup de pied. Le haut talon de l'escarpin bleu le frappa au-dessous du genou. Dundy tira Cairo à l'écart tandis que le gros Tom s'interposait en grommelant :

— Doucement, la gosse, c'est pas des manières.

— Alors, faites-lui dire la vérité, cria-t-elle d'un air de défi.

— Vous en faites pas, promit Tom, mais tenez-vous peinarde.

Le lieutenant parla à Polhaus en fixant sur Spade ses durs yeux verts, brillants et satisfaits.

— On risque pas de se gourer en les embarquant tous les trois, Tom, dit-il.

Tom approuva silencieusement d'un air sombre.

Spade s'avança au centre de la pièce et jeta, en passant devant la table, sa cigarette dans un cendrier.

— Pas si vite, dit-il calmement en se composant un visage souriant et aimable, tout peut s'expliquer.

— Je n'en doute pas, ricana le lieutenant.

Spade s'inclina devant la jeune fille.

— Miss O'Shaughnessy, dit-il, permettez-moi de vous présenter le lieutenant Dundy et le sergent Polhaus.

Il se tourna vers Dundy.

— Miss O'Shaughnessy est l'une de mes employées, expliqua-t-il.

— C'est faux ! s'écria Joel Cairo. Elle...

Spade l'interrompit d'une voix forte, mais toujours cordiale.

— Je l'ai engagée hier. Et voici M. Joel Cairo, un ami, une relation du moins, de Thursby... Il est venu à mon bureau cet après-midi pour m'intéresser à la recherche d'un objet que Thursby avait en sa possession quand il a été rectifié. Ça m'a paru louche et je n'ai pas marché. Alors il a sorti un pétard ; je n'insiste pas là-dessus tant qu'il n'est pas question de porter plainte les uns contre les autres. En tout cas, après avoir discuté avec Miss O'Shaughnessy, j'ai pensé que nous pourrions apprendre quelque chose sur les meurtres de Miles et de Thursby, et j'ai convoqué Cairo. Nous l'avons peut-être interrogé un peu rudement, mais il n'était pas blessé, pas assez pour crier au secours. J'avais déjà été obligé de le désarmer.

Au fur et à mesure que Spade parlait, une vive anxiété se peignait sur le visage de Cairo. Son regard furtif se promenait sans répit du tapis au visage aimable de Spade.

— Qu'avez-vous à répondre ? lui demanda sèchement Dundy en se tournant vers lui.

Cairo regarda la poitrine du lieutenant pendant près d'une minute, en silence. Puis il releva les yeux. Il avait l'air apeuré et méfiant et murmura avec un embarras qui paraissait sincère :

— Je ne sais que dire.

— Tenez-vous-en donc aux faits, suggéra le lieutenant.

— Les faits ? (Il cilla, sans pour autant quitter le lieutenant des yeux.) Qu'est-ce qui prouve que vous croirez les faits ?

— Ne finassez pas. Vous n'avez qu'à déposer une plainte déclarant, sous la foi du serment, qu'ils vous ont bousculé, et le substitut lancera un mandat d'arrêt qui les enverra en taule.

— C'est ça, interrompit Spade amusé. Allez-y, Cairo. A notre tour nous déposerons une plainte et on se retrouvera tous les trois sous les verrous.

Cairo se racla la gorge et roula des yeux de bête traquée.

Dundy souffla bruyamment par le nez.

— Prenez vos chapeaux ! dit-il.

Le regard angoissé de Cairo se posa sur le visage moqueur de Spade. Le détective cligna de l'œil et s'assit sur l'un des bras du rocking-chair.

— Eh bien ! mes enfants, dit-il d'une voix pleine de délectation en souriant tour à tour au Levantin et à la jeune fille, ça m'a l'air de marcher comme sur des roulettes.

Le visage anguleux de Dundy s'assombrit.

— Prenez vos chapeaux, répéta-t-il, impérieux.

Spade, sans cesser de sourire, se tourna vers le lieutenant, affermit sa position sur le bras du fauteuil et dit d'un ton négligent :

— Vous ne comprenez donc pas qu'on vous met en boîte ?

Tom Polhaus devint cramoisi.

Le visage assombri du lieutenant demeura immobile.

— On reparlera de ça au poste, dit-il du bout des lèvres.

Spade se leva, les mains dans les poches et il sembla vouloir se grandir pour mieux dominer le lieutenant. Il avait un sourire sarcastique et l'air parfaitement sûr de lui.

— Je vous défie bien de nous embarquer, Dundy, dit-il. Ce serait une rigolade dans tous les canards de San Francisco. Vous n'espérez pas que l'un de nous va porter plainte contre les autres ? Réveillez-vous. On s'est payé votre portrait. Quand vous avez sonné, j'ai dit à Miss O'Shaughnessy et à Cairo : « Encore ces sales flics ! Ils commencent à me casser les pieds. On va les faire marcher. Quand vous les entendrez repartir, que l'un de vous se mette à beugler, on verra jusqu'où on peut les faire marcher avant qu'ils pigent. » Et...

Brigid O'Shaughnessy se pencha en avant et se mit à rire : un rire d'hystérique.

Cairo sursauta et fit un sourire, morne peut-être, mais qui persista.

— Boucle-la, Sam ! grogna Tom.

— C'est pourtant comme ça que ça s'est passé, rigola Spade. Nous...

— Et sa gueule en compote, coupa Dundy avec mépris, comment expliquez-vous ça ?

— Demandez à Cairo, suggéra Spade ; il s'est peut-être coupé en se rasant.

Cairo parla rapidement avant d'être interrogé. Les muscles de son visage frémissaient sous l'effort qu'il faisait pour garder son sourire.

— Je suis tombé, dit-il. Nous étions convenus de lutter à qui prendrait le pistolet à votre arrivée, mais je suis tombé.

J'ai glissé sur le bord du tapis et je suis tombé pendant qu'on faisait semblant de se battre.

— Canular! ricana Dundy.

— C'est bien ça, Dundy, dit Spade, que vous le croyiez ou non. En tout cas, c'est notre version et nous nous y tiendrons. Les journaux l'imprimeront, qu'ils y croient ou non; c'est aussi marrant dans les deux cas. Qu'est-ce que vous comptez faire ? Canuler un flic n'est pas un délit, n'est-ce pas ? Tout ce qu'on vous a dit fait partie du numéro. Vous ne pouvez rien contre nous.

Dundy tourna le dos à Spade et empoigna Cairo aux épaules.

— Vous ne vous en tirerez pas comme ça, ricana-t-il en secouant rageusement le métèque. Vous avez crié au secours, vous n'y changerez rien.

— Non, monsieur, bégaya Cairo. C'était une plaisanterie. Il a dit que vous étiez ses amis et que vous comprendriez.

Spade éclata de rire.

Dundy saisit Cairo au poignet, d'une main et, de l'autre, il l'attrapa par le col de son veston.

— Je vous embarque pour port d'arme prohibée, en tout cas, dit-il. Et j'emmène le reste pour qu'on aille rigoler ailleurs.

Cairo se tourna vers Spade d'un air alarmé.

— Ne faites pas l'idiot, Dundy, dit Spade. Le flingue est un accessoire de la comédie : c'est l'un des miens. (Il se remit à rire.) Dommage que ce ne soit qu'un 32, sinon vous auriez pu raconter qu'il avait servi à descendre Miles et Thursby.

Le lieutenant lâcha soudain Cairo, pivota sur ses talons et son poing toucha Spade au menton.

Brigid O'Shaughnessy poussa un cri étouffé.

Le sourire du détective disparut à l'instant précis du choc, puis reparut, un peu rêveur. Il recula d'un pas, reprit son équilibre et ses lourdes épaules tombantes jouèrent sous le tissu de son veston. Avant qu'il ait pu détendre le

bras, Tom Polhaus s'était interposé entre les deux hommes.
Face à Spade il immobilisait de son énorme torse et de ses
bras ceux du détective.

— Non, Sam, non! pria Tom.

Après un bon moment de résistance et d'immobilité
forcée, les muscles de Spade se détendirent.

— Alors, qu'il foute le camp, en vitesse, ricana-t-il.

Son sourire avait disparu; son visage était pâle et dur.

Tom, sans lâcher les bras de Spade, tourna la tête, par-
dessus son épaule et regarda le lieutenant Dundy d'un air
réprobateur.

Dundy, les poings serrés, les bras repliés, les jambes un
peu écartées, gardait un air féroce que modifiait toutefois la
mince ligne blanche de la cornée qui apparaissait entre la
pupille verte et la paupière supérieure.

— Prenez leurs noms et adresses, dit-il.

Tom regarda Cairo qui dit, très vite :

— Joel Cairo, hôtel Belvedere.

Spade parla, avant que Tom ait interrogé Brigid.

— Vous pourrez toujours contacter Miss O'Saughnessy
par mon intermédiaire.

Tom regarda Dundy.

— Son adresse, grogna le lieutenant.

— C'est l'adresse de mon bureau, répéta Spade.

Dundy fit un pas vers Brigid.

— Où habitez-vous ?

— Sors-le ; j'en ai ma claque, Tom, murmura Spade.

Polhaus regarda un instant les yeux brillants et durs de
Spade.

— Vas-y mollo, Sam, dit-il.

Il boutonna son pardessus, se tourna vers Dundy, demandant d'une voix faussement indifférente :

— C'est tout, chef ?

Il fit un pas vers la porte. Le lieutenant, sourcils froncés,
demeurait indécis.

Brusquement, Cairo fit un pas vers les policiers.

— Je partirai avec vous, dit-il, si M. Spade veut bien me donner mon manteau et mon chapeau.

— Qu'est-ce qui vous presse ? dit Spade.

— Un coup monté, hein ? ricana Dundy, mais vous avez la trouille qu'on vous laisse seul avec eux ?

— Pas du tout, répliqua le Levantin en se tortillant, les yeux baissés ; mais il est tard et... il faut que je parte. Je sortirai avec vous, si vous voulez bien.

Dundy, les lèvres serrées, ne répondit pas. Une lueur s'allumait au fond de ses yeux verts.

Spade rapporta le chapeau et le pardessus de Cairo. Son visage était vide d'expression. Vide d'expression aussi, sa voix, quand il dit à Tom, après avoir aidé le Levantin à endosser son pardessus.

— Dis-lui de laisser le flingue.

Dundy tira l'automatique de sa poche et le posa sur la table ; puis il sortit le premier, Cairo sur ses talons. Tom s'arrêta devant Spade.

— J'espère que tu sais ce que tu fais, murmura-t-il.

Il n'obtint pas de réponse, soupira et suivit les autres. Spade les accompagna jusqu'à la porte du palier et regarda Tom refermer la porte de l'appartement.

IX

BRIGID

Spade revint dans le salon et s'assit au bout du canapé, les coudes aux genoux, la tête dans les mains. Il considérait fixement le tapis, sans prendre garde à Brigid, assise dans son fauteuil, qui le regardait en souriant faiblement. Il avait le regard orageux. Deux plis profonds se creusaient entre ses sourcils. Ses narines palpitaient avec son souffle.

La jeune fille comprit qu'il ne lèverait pas les yeux et, cessant de sourire, elle l'examina d'un air gêné. Une rage soudaine l'envahit. La tête entre ses mains, le regard fixé sur le tapis, il se mit à insulter Dundy pendant cinq bonnes minutes, vomissant les injures les plus obscènes, inlassablement, d'une voix rauque et furieuse.

Puis il leva la tête et, les yeux tournés vers Brigid, fit un sourire gêné, un peu honteux :

— Enfantin, hein ? Je sais, mais, bon Dieu ! ça me fout en boule d'être cogné sans pouvoir rendre la monnaie.

Il toucha doucement son menton du bout des doigts.

— Il ne m'a quand même pas sonné, dit-il en riant et en croisant les jambes contre le dossier du canapé. Une victoire au rabais.

Ses sourcils se rapprochèrent.

— Mais je m'en souviendrai.

Brigid, souriant de nouveau, vint s'asseoir près de lui.

— Vous êtes l'homme le plus extraordinaire que j'aie jamais connu, dit-elle. Etes-vous toujours aussi culotté ?

— Je l'ai laissé me taper dessus, non ?

— Il est de la police.

— Ce n'est pas ça, expliqua Spade. Il a perdu la tête en cognant. Si j'avais riposté, il ne pouvait plus reculer et on serait tous allés au poste raconter nos bobards.

Il regarda la jeune fille d'un air songeur.

— Qu'avez-vous fait à Cairo ?

— Rien — elle rougit — j'ai essayé de le faire tenir tranquille jusqu'à leur départ en le menaçant. Il a eu la frousse ou il n'a pas voulu céder et il a crié.

— Alors, vous l'avez assommé avec le pétard ?

— Il fallait bien : il m'a attaquée.

— Vous ne savez pas ce que vous faites, dit Spade, dont le sourire ne cachait pas le mécontentement. Je vous l'ai déjà dit, vous foncez au petit bonheur !

— Je regrette, Sam, dit-elle d'une voix douce, le visage contrit.

— Il y a de quoi !

Il tira de sa poche tabac et papier et se mit à rouler une cigarette.

— Maintenant que vous avez discuté avec Cairo, reprit-il, vous allez pouvoir me tuyauter.

Elle posa sur ses lèvres l'extrémité de son index et, les yeux agrandis, fixa le vide. Puis, les paupières à demi fermées, elle jeta un rapide coup d'œil à Spade. Il était absorbé par la confection d'une cigarette.

— Oui, fit-elle, bien sûr...

Elle baissa le bras et lissa l'étoffe de sa robe bleue sur ses genoux qu'elle se mit à contempler en fronçant les sourcils.

Spade lécha sa cigarette et la colla.

— Alors ? demanda-t-il en cherchant son briquet.

— Mais je n'ai pas eu le temps de finir cette discussion avec Cairo.

Elle s'arrêtait entre les mots, comme si elle les choisissait avec soin. Elle cessa de regarder ses genoux et leva sur Spade des yeux limpides et innocents.

— Nous avons été interrompus presque tout de suite.

Spade alluma sa cigarette et rejeta la première bouffée de fumée en rigolant.

— Je peux lui téléphoner et lui demander de revenir.

Elle secoua négativement la tête, sans sourire, mais son regard interrogateur demeurait fixé sur Sam.

Il étendit le bras et lui entoura les épaules, sa main se referma sur la chair blanche et nue. Elle s'appuya au creux de son bras.

— Je vous écoute, dit-il.

Elle tourna la tête vers lui.

— Est-il indispensable que vous me teniez comme ça ? dit-elle avec un sourire insolent.

— Non.

Il ôta son bras.

— Vous, on ne sait jamais ce que vous allez faire, murmura-t-elle.

Il approuva de la tête.

— Je vous écoute toujours, dit-il aimablement.

— Oh! regardez l'heure, s'écria-t-elle, l'index pointé vers le réveil perché sur le livre dont les grosses aiguilles indiquaient deux heures cinquante.

— Je vois, une soirée bien remplie!

— Il faut que je m'en aille, dit-elle en se levant. C'est terrible.

Spade ne bougea pas.

— Pas avant d'avoir parlé, dit-il.

— Mais vous vous rendez compte de l'heure qu'il est, protesta-t-elle. Et ça prendrait des heures.

— Eh bièn! ça prendra des heures!

— Suis-je prisonnière? dit-elle en riant.

— Il y a aussi le jeune voyou dehors. Il n'est peut-être pas rentré se coucher.

La gaieté de Brigid s'évanouit brusquement.

— Vous croyez qu'il est encore là?

— C'est probable.

— Pourriez-vous vous en assurer, dit-elle en frissonnant

— Je vais descendre voir.

— Oh, merci!

Spade regarda un instant le visage angoissé de Brigid, puis il se leva et alla prendre son pardessus et son chapeau dans le placard.

— J'y vais, dit-il; je reviendrai dans dix minutes.

— Soyez prudent, murmura-t-elle, le suivant jusqu'à la porte du palier.

— Je le serai.

Et il sortit.

*

Post Street était vide. Le détective parcourut vers l'est une distance d'un block, traversa la rue, marcha dans la direction opposée, sur deux blocks, retraversa et regagna la

maison sans avoir vu personne que deux mécaniciens
réparant une bagnole dans un garage.

Quand il ouvrit la porte de l'appartement, Brigid était
postée dans le couloir, le pistolet de Cairo à la main, le bras
collé au corps.

— Il est toujours là, dit Spade.

Elle se mordit la lèvre et rentra lentement dans la
chambre. Spade la suivit et posa son manteau et son
chapeau sur une chaise.

— Nous avons le temps de bavarder, dit-il ; et il se
dirigea vers la cuisine.

Il avait mis la cafetière sur le feu quand elle le rejoignit et
il coupait des tranches de pain. Elle s'arrêta sur le seuil et le
regarda d'un air préoccupé. Elle caressait distraitement, de
la main gauche, les méplats du pistolet qu'elle tenait dans
la main droite.

— La nappe est là, fit-il, pointant le couteau à pain vers
un petit buffet qui formait l'angle du coin repas.

Elle mit la table, tandis qu'il étalait du pâté de foie gras
sur les tranches de pain et préparait des sandwiches au
corned-beef. Puis, il versa le café, y ajouta du cognac
contenu dans une bouteille carrée et ils s'assirent côte à
côte sur un banc. Elle posa l'automatique près d'elle.

— Allez-y, dit-il entre deux bouchées.

Elle fit une grimace.

— Vous êtes têtu comme une mule, répondit-elle en
entamant un sandwich.

— Oui, et brutal, et imprévisible. Qu'est-ce que c'est que
cet oiseau, ce faucon pour lequel vous vous montez tous le
bourrichon ?

Elle mâcha lentement sa bouchée de pain et de bœuf,
l'avala et regarda attentivement le croissant que ses dents
avaient découpé dans le sandwich.

— Et si je refuse de vous le dire, si je décide de ne rien
vous dire du tout, que ferez-vous ? dit-elle.

— Vous voulez dire au sujet de l'oiseau ?

— Au sujet de toute l'affaire.

— Je ne serai pas surpris au point de ne pas savoir quel parti prendre, fit-il avec un grand sourire qui découvrit ses canines.

Elle étudia le visage de Spade.

— C'est-à-dire ? demanda-t-elle. Que comptez-vous faire ?

Il secoua la tête.

— Un de ces trucs imprévisibles dont vous avez le secret ? murmura-t-elle ironiquement.

— Peut-être, mais je ne vois pas ce que vous pouvez gagner à la boucler. Ça continue à sortir par petits bouts. Il y a beaucoup de choses que j'ignore, d'autres que je sais, d'autres que je devine. Encore un jour ou deux et j'en saurai plus long que vous.

— Je pense que vous en savez déjà assez, dit-elle, soudain grave, en reportant les yeux sur son sandwich. Mais je suis si lasse ! Je déteste revenir là-dessus. Ne vaut-il pas mieux attendre que vous appreniez les autres détails comme vous venez de le dire ?

— Je ne sais pas, répondit Spade en riant. Cela dépend de vous. Mon système de renseignements consiste à lancer une clé anglaise dans les rouages de la machine en marche. Pour moi, ça va tout seul si vous êtes sûre de ne pas vous faire amocher par les éclats.

Elle remua ses épaules nues avec embarras mais sans rien dire. Pendant quelques minutes, ils mangèrent en silence, lui flegmatique, elle pensive.

— J'ai peur de vous ; voilà la vérité ! murmura-t-elle enfin.

— C'est faux, répondit-il.

— Si, insista-t-elle, toujours très bas. Il y a deux hommes dont j'ai peur et je les ai vus tous les deux ce soir.

— Je comprends que vous ayez peur de Cairo, dit Spade. Pour vous, il est hors d'atteinte.

— Tandis que vous... ?

— Pas pour la même raison ! fit-il avec un sourire.

Elle rougit, prit un sandwich au foie gras et le posa sur son assiette. Puis son front blanc se plissa :

— C'est un oiseau noir, poli et brillant, un faucon haut comme ça.

Elle écarta ses mains d'une trentaine de centimètres.

— Qu'est-ce qui lui donne tant d'importance ?

Elle avala une gorgée de café mêlée de cognac avant de secouer la tête.

— Je ne sais pas, dit-elle. Ils ne me l'ont jamais dit. Ils m'ont promis cinq cents livres sterling si je les aidais. Ensuite, quand on a quitté Joel, Floyd m'en a promis sept cent cinquante.

— Alors, il vaut plus de sept mille cinq cents dollars ?

— Beaucoup plus, dit-elle. Ils ne m'ont jamais promis de partager. J'étais simplement engagée pour les aider.

— A quoi faire ?

Elle souleva de nouveau sa tasse. Spade, sans que le regard dominateur de ses yeux gris-jaune se détache d'elle, se mit à rouler une cigarette. La cafetière gargouillait derrière eux sur le fourneau.

— Pour les aider à obtenir le faucon, dit-elle lentement, posant sa tasse sur la table ; l'obtenir d'un Russe nommé Kemidov.

— Comment ?

— C'est sans importance, protesta-t-elle ; cela ne vous apprendrait rien — elle eut un sourire impudent — et d'ailleurs ça ne vous regarde pas.

— C'était à Constantinople ?

Elle hésita, fit un signe affirmatif et dit :

— Marmara.

— Continuez, dit-il en agitant sa cigarette dans sa direction. Qu'est-ce qui s'est passé ?

— C'est tout. Je vous ai tout dit. Ils m'ont promis cinq cents livres pour les aider. J'ai accepté. Puis nous nous sommes aperçus que Joel Cairo voulait nous lâcher en emportant le faucon. Alors, c'est nous qui l'avons plaqué, mais je n'ai pas gagné au change, car Floyd n'avait pas du tout l'intention de me verser les sept cent cinquante livres promises. J'ai compris cela en arrivant ici. Il prétendait que nous irions à New York pour vendre le faucon et qu'après, il me paierait, mais j'ai vite réalisé qu'il m'avait monté un bateau.

L'indignation assombrissait ses yeux, qui prenaient une nuance violette.

— Voilà pourquoi je suis venue vous demander de m'aider à retrouver le faucon, conclut-elle.

— Et si vous l'aviez eu ? dit Spade lentement.

— Alors j'aurais pu traiter d'égale à égal avec Thursby.

Spade la regarda en plissant les yeux.

— Vous n'auriez pas su à qui le refiler pour obtenir davantage d'argent qu'il ne vous aurait donné, remarqua-t-il. Autrement dit, la grosse somme que, vous le saviez, il comptait en tirer.

— Non.

Spade regardait les cendres amassées dans sa soucoupe.

— Pourquoi a-t-il une valeur pareille ? Vous devez le savoir, ou au moins le deviner.

— Je n'en ai pas la moindre idée.

Il la regarda droit dans les yeux.

— En quoi est-il, ce faucon ?

— En porcelaine ou en pierre noire ; je ne sais pas. Je ne l'ai jamais touché. Je ne l'ai vu qu'une fois, pendant quelques minutes : Floyd me l'a montré quand nous l'avons obtenu du Russe.

Spade écrasa son mégot dans la soucoupe et vida d'un trait le contenu de sa tasse. Il essuya ses lèvres, posa sa serviette sur la table et dit d'un ton distrait :

— Fumiste !

Elle se leva et le regarda, décontenancée et rougissante.

— Je suis menteuse, dit-elle, j'ai toujours menti.

— Il n'y a pas de quoi se vanter, c'est enfantin! dit-il gentiment.

Il se leva.

— Y a-t-il un seul mot de vrai dans tous vos bobards?

Elle baissa la tête, les yeux humides.

— Oui, dit-elle, dans un souffle.

— Combien?

— Très peu.

Spade lui prit le menton et, lui relevant la tête, rit en regardant ses yeux mouillés de larmes.

— Nous avons toute la nuit devant nous, dit-il. Je vais vous refaire un petit mélange et on remettra ça.

Elle baissa les paupières.

— Je suis si lasse, dit-elle d'une voix qui tremblait, si lasse de tout : de moi-même, de tous ces mensonges, lasse de ne plus savoir où est la vérité. Je voudrais...

Elle leva les mains et les posa sur les joues de Spade. Elle approcha sa bouche de la sienne, plaqua son corps contre le sien.

Les bras de Sam l'enveloppèrent. Il la serra contre lui. Les muscles de ses épaules se gonflaient sous la serge bleue ; d'une main il soutenait la tête de Brigid, les doigts enfouis dans ses cheveux roux ; l'autre se mit à descendre lentement le long de son dos mince. Une lueur fauve brillait dans ses yeux.

X

LE CANAPÉ DU BELVEDERE

Le jour se levait ; la nuit n'était plus qu'un brouillard léger et fumeux quand Spade s'éveilla. Près de lui, Brigid, profondément endormie, respirait d'un souffle calme et régulier. Spade se leva, quitta la chambre, referma la porte sans bruit et alla s'habiller dans la salle de bains. Puis il examina les vêtements de Brigid et prit dans la poche du manteau une clé plate, en cuivre.

Il sortit, se rendit au Coronet et pénétra tranquillement chez la jeune fille. Il agissait avec un parfait naturel; il entra comme chez lui, mais avec le minimum de bruit.

Une fois dans l'appartement, il alluma partout et fouilla toutes les pièces minutieusement. Son regard et ses doigts épais se déplaçaient sans hâte apparente, sans revenir en arrière, inspectant, tâtant avec une certitude aisée. Tiroirs, placards, boîtes, sacs, malles, ouverts ou fermés, furent examinés à fond. Les uns après les autres, tous les vêtements passèrent entre les doigts du détective, qui les palpait, attentif à un froissement de papier possible. Il défit le lit, regarda sous les tapis et les meubles. Il baissa les stores, pour voir si le rouleau ne dissimulait pas des papiers. Il se pencha par les fenêtres pour constater que rien n'était accroché dehors. Il enfonça une fourchette dans les boîtes de poudre et les pots de crème posés sur la coiffeuse. Il étudia par transparence le contenu des bouteilles et des vaporisateurs, examina la vaisselle, les casseroles, la nourriture et tous les récipients contenant des denrées alimentaires, vida la boîte à ordures sur un journal étendu. Dans la salle de bains, il souleva le couvercle de la chasse d'eau pour examiner l'intérieur. Il visita minutieusement les toiles métalliques fermant les tuyaux de vidange.

Il ne trouva pas l'oiseau noir. Il ne trouva rien qui pût s'y rapporter. Le seul papier qu'il découvrit fut un reçu daté pour le loyer mensuel de l'appartement, vieux d'une semaine. La seule chose qui l'arrêta dans ses recherches, fut une double poignée de bijoux de valeur qu'il dénicha dans une boîte de marqueterie, au fond du tiroir, fermé à clé, de la coiffeuse.

Quand il eut terminé ses recherches, Spade prépara et but une tasse de café, puis il ouvrit la fenêtre de la cuisine qui donnait sur l'escalier de secours, érafla le pêne avec son canif, prit son chapeau et son manteau, et sortit comme il était entré.

En chemin, il s'arrêta et pénétra dans une boutique qui s'ouvrait, où un épicier, frissonnant, bouffi de sommeil, lui vendit des oranges, des œufs, des brioches, du beurre et du lait.

Puis il rentra tranquillement chez lui. Avant qu'il eût refermé la porte, Brigid O'Shaughnessy cria :

— Qui est là ?

— Spade junior, avec le petit déjeuner.

— Oh ! tu m'as fait peur !

La porte de la chambre, qu'il avait fermée, était ouverte. Brigid était assise sur le lit, tremblante, la main droite glissée sous le traversin.

Spade alla poser ses paquets dans la cuisine et vint s'asseoir sur le lit. Il baisa l'épaule nue de la fille.

— Je voulais voir si le gosse était toujours solide au poste et rapporter de quoi bouffer, dit-il.

— Il est toujours là ?

— Non.

Elle soupira et s'appuya contre lui.

— Je me suis réveillée et tu n'étais plus là. J'ai entendu quelqu'un entrer, j'ai eu une frousse terrible.

Spade passa ses doigts dans les cheveux roux et les rabattit en arrière.

— Pauvre chou, murmura-t-il ; je croyais que tu roupillerais encore. Tu as gardé ce pétard toute la nuit sous le traversin ?

— Tu sais bien que non. J'ai sauté du lit pour le prendre, quand j'ai eu peur.

Il prépara le déjeuner — et glissa la petite clé de cuivre dans la poche du manteau — tandis qu'elle se baignait et s'habillait.

Elle sortit de la salle de bains en sifflotant : *En Cuba*.

— Si je faisais le lit ? dit-elle.

— Excellente idée ; les œufs seront prêts dans deux minutes.

Le petit déjeuner était installé sur la table quand elle revint à la cuisine. Ils s'assirent comme la nuit précédente et mangèrent avec appétit.

— Parlons un peu de l'oiseau, dit Spade, la bouche pleine.

Elle posa sa fourchette et le regarda, les sourcils froncés, la bouche pincée.

— Tu ne vas tout de même pas me demander de parler de ça, ce matin surtout, protesta-t-elle. Je ne veux pas et je ne dirai rien.

— Quelle sacrée tête de mule ! soupira Spade tristement en portant un morceau de pain à sa bouche.

Le blanc-bec qui avait filé Spade n'était plus en vue quand Brigid et Sam traversèrent le trottoir pour gagner le taxi qui les attendait. La voiture ne fut pas suivie. Personne n'était visible dans les environs du Coronet quand le taxi s'arrêta devant.

Brigid O'Shaughnessy n'autorisa pas Spade à entrer avec elle.

— Ça la fiche déjà assez mal de rentrer à une heure pareille en robe du soir sans amener quelqu'un. J'espère bien ne pas me faire repérer.

— On dîne ensemble, ce soir ? proposa-t-il.

— Oui.

Ils échangèrent un baiser. Elle entra.

— Hôtel Belvedere, dit-il au chauffeur.

Il aperçut, en arrivant, le blanc-bec qui l'avait filé la nuit précédente, assis dans le hall, sur un canapé d'où l'on pouvait surveiller les deux ascenseurs. Il feignait de lire un journal.

Au bureau, on informa Spade que Cairo n'était pas chez lui. Il saisit sa lèvre inférieure entre le pouce et l'index. Des points jaunes, lumineux, dansaient dans son regard.

— Merci, dit-il à voix basse, à l'employé de la réception.

Il traversa le hall et alla s'asseoir à côté du blanc-bec — à trente centimètres, pas plus — apparemment plongé dans son canard.

Le garçon ne leva pas le nez. De près il ne paraissait pas vingt ans ; ses traits fins, son visage menu et régulier cadraient avec sa taille ; il avait la peau très blanche, les joues duveteuses. Ses vêtements n'étaient ni neufs ni impeccables, mais il les portait avec goût.

— Où est-il ? demanda Spade distraitement, tandis qu'il glissait du tabac dans une feuille de papier à cigarettes.

Le jeune homme abaissa son journal et se tourna vers le nouveau venu, avec une lenteur qui semblait calculée. Il leva un peu ses yeux bruns, sous des cils très longs et retroussés, et regarda fixement la poitrine de Spade. D'une voix aussi neutre que son visage, il dit :

— Quoi ?

— Où est-il ? répéta Spade absorbé par la confection de sa cigarette.

— Qui ?

— Ta vieille tante.

Les yeux bruns remontèrent jusqu'au nœud de la cravate tête-de-nègre de Spade.

— Qu'est-ce que tu crois, mon pote ? dit le jeune homme ; que tu fais une mise en boîte ?

— Je te préviendrai au bon moment, répondit Spade en mouillant et collant sa cigarette.

Il sourit doucement au gamin.

— New York, hein ?

Le gamin considérait fixement la cravate du détective ; Sam hocha la tête comme si l'autre avait dit oui et s'enquit :

— En cavale ?

Le gamin fixa la cravate encore un instant, puis il releva son journal et, avant de se replonger dedans, lança du coin de la bouche :

— Barre-toi !

Spade alluma sa cigarette et s'appuya au dossier du canapé.

— Faudra te décider à causer avec moi, un jour ou l'autre, fiston — toi ou un autre. Tu peux aller dire ça à « G ».

Le jeune homme abaissa vivement son journal et se tourna vers Spade, ses yeux froids couleur noisette fixés sur sa cravate. Ses petites mains étaient posées à plat sur ses cuisses.

— Continue et tu vas ramasser le paquet, dit-il à voix basse, d'un ton sec et menaçant. Je t'ai dit de te barrer. Barre-toi !

Spade attendit qu'un poussah à lunettes et une blonde aux jambes minces se fussent éloignés. Puis, il dit, en riant :

— Ce coup-là prend peut-être dans la Septième Avenue, mais ici, t'es chez moi.

Il avala une bouffée de fumée qu'il renvoya loin devant lui, en un nuage pâle :

— Alors, où est-il ? répéta-t-il.

— Enfoiré ! dit le gamin d'une voix rauque.

— On perd facilement ses dents de devant, à ce petit jeu-là ! dit Spade, d'une voix toujours calme, les traits durcis. Si tu veux durer, ici, faudrait être poli.

— Enfoiré ! répéta le gamin.

Spade jeta sa cigarette dans une grande vasque de pierre, près du canapé, et, la main levée, attira l'attention d'un bonhomme qui se tenait debout près de l'éventaire du buraliste. L'homme fit un signe de tête et s'approcha. C'était un type trapu, effacé, sobrement vêtu, avec un visage rond et blafard.

— Hello, Sam ! dit-il.

— Hello, Luke !

Ils échangèrent une poignée de main.

— Sale coup pour Miles, dit Luke.

— Oui, fit Spade, une poisse noire !

Il désigna du menton le blanc-bec assis près de lui.

— Depuis quand, dit-il, laisses-tu ces tueurs à la mie de
pain flâner dans le hall, avec leurs outils qui déforment
leurs poches?

— Hein? fit Luke, dont le visage se ferma soudain tandis
qu'il toisait le gamin.

» Qu'est-ce que tu fous ici? demanda-t-il.

Le gamin s'était levé, imité par Spade. Il regarda alterna-
tivement les deux détectives au niveau du nœud de cravate.
Celle de Luke était noire. Il avait la touche d'un potache.

— Si tu n'as rien à foutre ici, taille-toi, dit Luke, et ne
remets pas les pieds ici.

— J'vous oublierai pas, vous deux, dit le gamin.

Ils le regardèrent sortir. Spade ôta son chapeau et
s'épongea le front avec un mouchoir.

— Qu'est-ce que c'est? demanda le détective de l'hôtel.

— Je veux bien être pendu..., répondit Spade. Je viens
juste de le repérer. Connais-tu Joel Cairo, numéro 635?

— Ah! celui-là! ricana Luke.

— Depuis combien de temps est-il ici?

— C'est le cinquième jour.

— Rien de particulier?

— Non, Sam. Rien contre lui sauf sa dégaine de gon-
zesse.

— Tâche de savoir s'il est rentré cette nuit.

— Je vais essayer, promit le détective de l'hôtel, qui s'en
fut.

Sam se rassit sur le canapé en attendant son retour.

— Non, dit Luke, en revenant. Il n'est pas rentré. Qu'est-
ce qu'il y a?

— Rien.

— Allons, Sam! Tu sais que je la bouclerai. Si quelque
chose ne gaze pas, faudrait tout de même qu'on le sache
pour avoir une raison de passer à la caisse.

— Ce n'est pas ça, assura Spade. En fait, je suis sur un

petit boulot pour lui. Je te préviendrais s'il y avait du louche.

— T'as intérêt. Tu veux que je le tienne à l'œil ?

— Merci, Luke. Ça ne ferait pas de mal. On n'en sait jamais trop sur les clients, maintenant.

La pendule au-dessus des ascenseurs marquait onze heures vingt quand Joel Cairo entra dans le hall de l'hôtel. Il avait le front bandé. Ses vêtements avaient l'aspect fripé et défraîchi des fringues portées trop longtemps de suite. Il avait le visage farineux, la bouche tombante et les yeux cernés.

Spade l'attendait devant le bureau.

— Bonjour, dit-il d'un ton alerte.

Cairo redressa son corps las et les lignes de son visage se durcirent.

— Bonjour, répondit-il sans enthousiasme.

Il y eut une pause.

— Trouvons un coin pour bavarder, dit Spade.

— Je regrette, répondit Cairo, le menton levé, mais nos conversations particulières n'ont pas été telles que je désire les poursuivre. Je m'exprime peut-être brutalement, mais c'est la vérité.

— Vous voulez parler d'hier soir ? fit Spade avec un mouvement impatient de la tête et de la main. Qu'est-ce que je pouvais bien fiche ? Je croyais que vous aviez pigé. Si vous aviez un accrochage avec elle, il fallait bien que je me mette de son côté. Je ne sais pas où est ce sacré faucon, vous non plus. Elle, si. Comment voulez-vous qu'on le retrouve, si je ne joue pas le jeu de Brigid ?

— Je dois reconnaître, dit Cairo, hésitant et sceptique, que vous avez une explication toujours prête.

— Que voulez-vous que je fasse ? reprit Spade. Que j'apprenne à bégayer ? Venez, on pourra discuter ici.

Il lui montra le canapé.

— Dundy vous a amené au poste ? demanda-t-il dès qu'ils furent assis.

— Oui.

— Combien de temps vous ont-ils cuisiné ?

— Jusqu'à tout à l'heure, et bien contre ma volonté. Je vais me plaindre au consul général de Grèce et prendre un avocat, dit Cairo.

La souffrance physique et le ressentiment se mélangeaient sur son visage et dans sa voix.

— Allez-y et vous verrez ce que ça va vous rapporter. Qu'est-ce qu'ils ont réussi à vous soutirer ?

Cairo sourit d'un air satisfait.

— Pas ça ! Je m'en suis tenu strictement à vos conseils.

Son sourire s'évanouit.

— Cependant, reprit-il, vous auriez pu imaginer une histoire plus vraisemblable. J'avais l'air grotesque en la répétant.

— Bien sûr, approuva Spade, mais c'était parfait justement parce que ça ne tenait pas debout. Alors, vous n'avez rien craché ?

— Pas un mot. Vous pouvez vous fier à moi.

Spade tapotait du bout des doigts le siège de cuir.

— Vous entendrez parler de Dundy. Continuez à faire l'idiot et vous serez pénard. Si l'histoire vous paraît boiteuse, vous frappez pas ; plus plausible, elle nous aurait tous envoyés en taule. (Il se leva.) Allez vous coucher. On a besoin de repos après s'être fait cuisiner toute une nuit. Bonsoir.

*

Effie Perine disait : « Non, pas encore ! » au téléphone, quand Spade entra dans le bureau. Elle se retourna et ses lèvres formèrent silencieusement un mot ' « Iva ». Spade secoua la tête avec énergie.

— C'est entendu, reprit Effie, parlant à l'appareil, je lui demanderai de vous rappeler dès qu'il arrivera.

Elle raccrocha.

— C'est la troisième fois qu'elle téléphone depuis ce matin, dit-elle.

Spade poussa un grognement irrité.

D'un mouvement de la tête, la fille montra le bureau de Spade.

— Ta Miss O'Shaughnessy est là, dit-elle. Elle attend depuis neuf heures.

Spade approuva de la tête comme s'il attendait cette visite.

— Rien d'autre ?

— Le sergent Polhaus a téléphoné. Il n'a pas laissé de message.

— Demande-le à l'appareil.

— G... a téléphoné aussi.

Les yeux de Spade brillèrent.

— Qui ? demanda-t-il.

— G... c'est ce qu'il a dit.

Effie feignait une parfaite indifférence.

— Quand je lui ai dit que tu n'étais pas ici, il a répondu « Quand il rentrera, voulez-vous lui dire que G... a reçu son message et retéléphonera ? »

Spade fit une grimace gourmande.

— Merci, mon chou, dit-il. Demande-moi Tom.

Il ouvrit la porte qui communiquait avec son bureau et la referma derrière lui.

Brigid O'Shaughnessy portait la même robe que le jour de sa première visite. Elle se leva et marcha rapidement vers Spade.

— On a fouillé mon appartement, s'écria-t-elle. Tout a été mis sens dessus dessous.

— Rien de disparu ? demanda-t-il sans manifester une surprise exagérée.

— Je ne crois pas ; je ne sais pas. J'ai mis la première

robe qui m'est tombée sous la main et je suis venue ici. Oh !
tu as dû laisser ce gamin te suivre.

— Non, mon ange, dit Spade en secouant la tête.

Il tira une édition de midi de sa poche, l'ouvrit et montra
à Brigid une colonne intitulée : *Un cambrioleur dérangé par
des cris prend la fuite...*

« Une jeune femme, Caroline Seale, qui occupait seule un
appartement dans Sutter Street, a été réveillée, vers quatre
heures ce matin ; quelqu'un marchait dans sa chambre.
Elle se mit à crier et l'inconnu prit la fuite. Deux autres
femmes vivant seules dans le même immeuble ont constaté
dans le courant de la matinée que le cambrioleur avait
également visité leur appartement. Rien n'a été emporté. »

— C'est là que je l'avais « semé », expliqua Spade. Je
suis entré dans ce building par la grande porte et sorti par-
derrière. Voilà pourquoi ces trois bonnes femmes seules ont
reçu sa visite. Il a essayé tous les appartements occupés par
des femmes, il devait te chercher sous un autre nom.

— Mais il surveillait bien ton appartement pendant que
nous y étions ? objecta Brigid.

— Pourquoi travaillerait-il seul ? dit Spade, haussant les
épaules. Peut-être aussi a-t-il été voir Sutter Street quand il
a pensé que tu passerais la nuit chez moi. Cela fait
beaucoup de « peut-être », mais je suis sûr qu'il ne m'a pas
suivi jusqu'au Coronet.

— Il y est allé en tout cas, insista-t-elle, lui ou son
complice.

— Bien sûr. (Il fixa les pieds de Brigid en fronçant les
sourcils.) Je me demande si ça ne serait pas Cairo. Il n'a pas
passé la nuit à son hôtel ; il vient tout juste de rentrer. Il
n'est rentré au Belvedere que vers onze heures. Il prétend
que Dundy l'a cuisiné jusqu'à ce moment-là. Ça m'épate un
peu.

Il se retourna, ouvrit la porte et demanda à Effie Perine :

— Tu as eu Tom?

— Il n'est pas là. Je rappellerai dans une minute.

— Merci, dit Spade refermant la porte et se tournant vers Miss O'Shaughnessy.

Elle le regardait d'un air abattu.

— Tu as vu Joel, ce matin? demanda-t-elle.

— Oui.

— Pourquoi? dit-elle, après une hésitation.

— Pourquoi? répéta-t-il en souriant; parce que, mon petit lapin, je dois me tenir au courant des détails de ce casse-tête si je veux en tirer quelque chose.

Il la prit par les épaules, l'embrassa sur le bout du nez et la fit asseoir dans son fauteuil tournant.

Il s'assit sur le bureau devant elle.

— Et maintenant, il faut te trouver une planque, non?

Elle approuva vivement de la tête.

— Oui, dit-elle; je ne veux pas retourner là-bas.

Il caressait de la paume des mains le bois verni du bureau d'un air pensif.

— Je crois que j'y suis, dit-il soudain. Attends une seconde.

Il sortit sans omettre de refermer la porte de communication entre son bureau et la réception. Effie Perine prit le récepteur du téléphone.

— Je vais encore essayer, dit-elle.

— Plus tard, dit-il. Est-ce que ton intuition féminine te souffle toujours que Miss O'Shaughnessy est un genre de vierge immaculée?

Elle lui jeta un regard aigu.

— Je crois toujours, dit-elle, que c'est une fille bien, même si elle est dans le pire des pétrins. C'est ça que tu veux dire?

— Exactement. Alors tu peux lui donner un coup de main.

— Comment ça?

— En l'hébergeant pendant quelques jours.

— A la maison ?

— Oui. On a fouillé sa piaule — c'est la seconde fois cette semaine. Je préférerais qu'elle ne soit pas seule. Ça rendrait un sacré service si tu pouvais la prendre chez toi.

Effie Perine se pencha en avant.

— Est-ce qu'elle est en danger, Sam ? demanda-t-elle gravement.

— J'en ai l'impression.

Effie se gratta la lèvre du bout de l'ongle.

— Ma mère aurait une trouille verte. Il faudra que je lui raconte que c'est un témoin-surprise que tu gardes pour le produire au moment psychologique.

— Tu es un ange, dit Spade. Tu vas l'emmener chez toi tout de suite. Je vais lui demander sa clé et aller chercher chez elle tout ce qu'elle a besoin. Voyons. Il vaut mieux qu'on ne te voie pas avec elle. Saute dans un taxi et rentre seule. Prends garde de n'être pas filée. C'est peu probable, mais ouvre l'œil. Je te l'enverrai un peu plus tard. Je m'assurerai qu'on ne la file pas non plus.

XI

LE GROS HOMME

Le téléphone sonnait quand Spade regagna son bureau après avoir vu Brigid partir pour la maison d'Effie Perine. Il décrocha :

— Allô ?... Oui, lui-même... Oui, j'ai pigé. J'attendais de vos nouvelles... Qui ?... M. Gutman ? Oh oui, bien sûr... Voyons... le plus tôt sera le mieux... *12 C*, entendu... Dans un quart d'heure...

Spade s'assit sur le coin du bureau à côté du téléphone et roula une cigarette. Le « V » fermé de sa bouche marquait une nette satisfaction. Ses yeux, qui surveillaient les doigts en train de confectionner la cigarette, étaient de braise derrière les paupières baissées.

La porte s'ouvrit et Iva Archer entra.

— Bonjour, mon petit, dit Spade d'une voix aussi aimable que l'était subitement devenu son visage.

— Oh, Sam, pardonne-moi, pardonne-moi ! s'écria-t-elle d'une voix étranglée.

Elle était debout sur le seuil de la porte, chiffonnant dans ses petites mains gantées un mouchoir bordé de noir. Elle le regardait d'un air apeuré. Ses paupières étaient rouges et gonflées.

— C'est entendu, je te pardonne, n'en parlons plus, dit-il sans bouger.

— Mais, Sam, gémit-elle, c'est moi qui ai envoyé les flics chez toi. J'étais folle de jalousie. Je leur ai téléphoné que s'ils venaient te surprendre, ils découvriraient peut-être l'assassin de Miles.

— Qu'est-ce qui t'a fait croire ça ?

— Je ne l'ai jamais cru, Sam. J'étais folle, je voulais te faire du mal.

— Tu n'as pas simplifié les choses, dit-il en la prenant par la taille et l'attirant contre lui, mais c'est fini maintenant. Seulement la prochaine fois ne te monte pas le ciboulot.

— Non, promit-elle, jamais plus. Mais tu n'as pas été gentil, hier soir. Tu étais froid, distant, tu voulais te débarrasser de moi. Je t'avais attendu longtemps pour t'avertir et tu...

— M'avertir de quoi ?

— Au sujet de Phil, mon beau-frère. Il sait que... que tu m'aimes. Miles lui avait dit que je voulais divorcer bien que, évidemment, il n'ait jamais su pourquoi, et voilà que Phil croit que nous... que tu as tué son frère parce qu'il refusait de m'accorder le divorce pour qu'on puisse se marier. Il m'a dit qu'il en était sûr et certain, et hier il a été raconter ça aux flics.

— C'est gai, murmura Spade. Tu es venue m'avertir et, comme j'étais occupé, ça t'a mise en rogne et tu as aidé ce sacré Phil Archer à flanquer la pagaille.

— Pardon, gémit-elle. Je sais que tu ne pourras jamais me pardonner. Pardon, pardon ! Je regrette !

— Il y a bien de quoi, approuva-t-il ; pour toi et pour moi. Est-ce que Dundy est venu te voir depuis, ou un autre poulet ?

— Non, dit-elle, les yeux agrandis par l'anxiété.

— Tu ne perds rien pour attendre. Mieux vaut qu'ils ne te voient pas ici. As-tu dit qui tu étais, quand tu as téléphoné ?

— Oh, non ! J'ai simplement dit que s'ils allaient chez toi ils pourraient découvrir une piste intéressante, et j'ai raccroché.

— D'où as-tu téléphoné ?

— De la pharmacie près de chez toi. Oh ! Sam chéri, je...

Il lui caressa l'épaule de la main et dit gentiment :

— C'était une connerie, mais n'y revenons pas. Rentre et pense à ce que tu répondras aux flics. Peut-être vaut-il mieux dire carrément : Non.

Il regarda dans le vide, les sourcils joints.

— Ou peut-être, reprit-il serait-il bon de voir Sid Wise d'abord.

Il lâcha Iva, sortit une carte de sa poche, griffonna quelques mots au dos et la lui tendit.

— Tu peux dire tout à Sid... ou presque tout, fit-il. Où étais-tu le soir où Miles a été tué ?

— Chez moi, répondit-elle sans hésiter.

Il secoua la tête en ricanant.

— J'y étais, insista-t-elle.

— Non, dit-il, mais si tu insistes, je n'y vois pas d'inconvénient. Va voir Sid. C'est tout près, en sortant, à droite, le building rose. Bureau 827.

Les yeux bleus d'Iva s'efforcèrent de sonder les yeux gris-jaune de Spade.

— Pourquoi dis-tu que je n'étais pas chez moi ? demanda-t-elle lentement.

— Parce que je le sais.

— J'y étais, j'y étais ! s'écria-t-elle, les lèvres frémissantes et le regard assombri par la colère.

» C'est Effie Perine qui t'a raconté ça ! s'exclama-t-elle indignée. J'ai vu qu'elle regardait mes frusques. Tu sais qu'elle me déteste, Sam ! Pourquoi crois-tu ce qu'elle dit quand tu sais qu'elle ferait n'importe quoi pour m'embêter ?

— Oh ! bon Dieu ! ces femelles ! soupira Spade, regardant sa montre-bracelet. Allez, mets les bouts, mon chou, j'ai un rendez-vous urgent. Fais ce que tu veux, mais à ta place, je dirais à Sid toute la vérité ou rien du tout. Je veux dire, bien entendu, que tu peux glisser sur certains détails, mais n'invente rien à la place.

— Je t'ai dit la vérité, Sam ! protesta-t-elle.

— Mon œil ! dit-il en se levant.

Elle se dressa sur la pointe des pieds pour approcher son visage du sien.

— Tu ne me crois pas ? murmura-t-elle.

— Non.

— Et tu ne veux pas me pardonner ce... ce que j'ai fait ?

— Mais si ! (Il se pencha et l'embrassa sur la bouche.) Ça va. File.

Elle l'enlaça :

— Tu m'accompagnes chez Wise ?

— Je n'ai pas le temps et je serais de trop.

Il la prit aux bras, se dégagea doucement et lui baisa le poinet gauche entre la manche et le gant. Puis il la saisit aux épaules, la fit pivoter sur ses talons et la poussa vers la porte.

— Décampe ! murmura-t-il.

*

La porte d'acajou de l'appartement *12 C*, à l'Alexandria Hotel, fut ouverte par le blanc-bec auquel Spade avait parlé dans le hall du Belvedere.

— Hello! fit le détective, aimablement.

Le gosse ne répondit pas : il s'effaça, tenant le battant ouvert.

Spade entra : une espèce d'éléphant vint à sa rencontre. Des boursouflures adipeuses défiguraient ses joues roses, ses lèvres, sa bouche et son menton. Son ventre débordait sur son torse comme un œuf énorme, et ses jambes et ses bras pendaient comme de grosses pommes de pin. Il s'avança vers Spade. Toutes les boursouflures de sa figure se mirent à bouger, à trembloter à chaque pas, comme une grappe de bulles de savon encore accrochées au chalumeau. Entre deux bourrelets de graisse brillaient ses yeux noirs et porcins. Quelques mèches rares s'enroulaient sur son crâne chauve. Il portait une jaquette et un gilet noirs, une cravate de soie noire, à plastron, piquée d'une perle rose, un pantalon gris rayé et des souliers vernis.

— Ah! monsieur Spade! ronronna-t-il avec enthousiasme, tendant une main comme une étoile de mer rose et dodue.

Spade prit la main et sourit.

— Comment allez-vous, monsieur Gutman? dit-il.

Sans lâcher la main du détective, l'éléphant tourna sur lui-même, prit de la main gauche le coude de Spade et lui fit traverser une étendue de tapis vert pour le conduire à un fauteuil de peluche verte, près d'un guéridon où étaient posés un siphon, des verres, une bouteille de Johnnie Walker, une boîte de cigares — des Corona del Ritz — deux journaux et une petite boîte en serpentine jaune.

Spade s'assit et Gutman prépara deux whiskies-soda. Le gosse avait disparu. Les portes ménagées sur trois côtés de la pièce étaient fermées. Le quatrième côté, derrière Spade, était percé de deux fenêtres qui s'ouvraient sur Geary Street.

— Nous commençons bien ! ronronna Gutman en tendant un verre à son interlocuteur. Je me méfie des petits buveurs. S'ils doivent se garder de boire, c'est qu'on ne saurait leur faire confiance quand ils ont bu.

Spade sourit, accepta le verre et s'inclina.

Gutman leva le sien et en regarda le contenu, par transparence. Il hocha la tête d'un air approbateur en regardant pétiller le liquide.

— Je bois, monsieur, dit-il, aux paroles nettes et claires.

Ils burent et reposèrent leurs verres.

Gutman considéra Spade d'un œil malin.

— Etes-vous bavard ? demanda-t-il.

— J'adore causer.

— De mieux en mieux. Je déteste les gens laconiques. Ils choisissent généralement mal leur moment pour parler et leurs mots. Pour parler utilement, il faut un entraînement judicieux. (Il eut un sourire réjoui.) Nous nous entendrons, monsieur, j'en ai l'impression.

Il posa son verre et tendit à Spade la boîte de Coronas.

— Un cigare ?

Spade prit un cigare, en coupa l'extrémité et l'alluma. Gutman tira un autre fauteuil de peluche verte qu'il plaça en face de Spade et mit un cendrier sur pied entre les deux sièges. Puis il prit son verre, un cigare et s'assit. Toutes les boursouflures de son visage semblèrent se replier, s'immobiliser. Il poussa un soupir de satisfaction.

— Maintenant, monsieur, dit-il, nous allons parler, si vous le voulez bien. Laissez-moi vous répéter encore que j'adore bavarder avec les gens bavards.

— Parfait. Nous allons parler de l'oiseau noir.

Gutman éclata d'un rire qui secoua les boursouflures de son visage.

— Vraiment ? dit-il. Pourquoi pas ? (Son visage rose était illuminé de plaisir.)

» Vous êtes l'homme qu'il me faut, monsieur, s'écria-t-il ; un homme comme je les aime, qui n'hésite pas et va droit au fait. « Nous allons parler de l'oiseau noir ! » dites-vous ? J'aime ça. J'aime cette façon de traiter les affaires, monsieur. Nous allons en parler tout de suite, mais auparavant, je voudrais vous poser une seule question. Elle n'est peut-être pas nécessaire, mais nous permettra de mieux nous comprendre. Représentez-vous, dans cette affaire, les intérêts de Miss O'Shaughnessy ?

Spade lança, au-dessus de la tête de Gutman, une longue bouffée de fumée qui s'allongea comme une grande plume. Il fronça les sourcils d'un air songeur en regardant la cendre de son cigare, puis il répondit :

— Je ne peux dire ni oui, ni non. Rien n'est encore décidé.

Il leva la tête, regarda Gutman et son front se dérida.

— Cela dépend ! ajouta-t-il.

— De quoi ?

— Si je le savais, je pourrais vous répondre oui ou non, remarqua Spade en secouant la tête.

Gutman prit son verre, but une gorgée de whisky et suggéra :

— Cela dépend peut-être de Cairo.

— Peut-être, répondit Spade sans se compromettre.

Il but une gorgée.

Gutman se pencha en avant, autant que le volume de son ventre le permettait. Son sourire était engageant.

— On peut donc dire, ronronna-t-il, que c'est là toute la question : lequel des deux représenterez-vous ?

— Si vous voulez.

— Ce sera l'un ou l'autre, n'est-ce pas ?

— Je n'ai pas dit ça, protesta Spade.

Les yeux du petit homme se mirent à briller. Sa voix baissa, il murmura :

— Qui encore ?

Spade pointa son cigare sur sa propre poitrine.

— Moi.

Gutman se renversa dans son fauteuil. Son corps se détendit. Il poussa un long soupir de satisfaction.

— C'est merveilleux, ronronna-t-il. J'aime un homme qui n'hésite pas à déclarer qu'il pense à lui. C'est humain ! Je n'ai pas confiance dans les gens qui proclament sans cesse leur désintéressement. Et je me méfie par-dessus tout de ceux qui disent la vérité en faisant cette déclaration, parce que ce sont des imbéciles qui, par-dessus le marché, vont contre les lois de la nature.

Spade rejeta une bouffée de fumée. Son visage révélait une attention polie.

— Oui, dit-il. Si nous parlions de l'oiseau noir.

Le petit homme eut un sourire bienveillant :

— Parlons-en.

Il plissa les yeux et les bourrelets de graisse de ses paupières ne laissèrent plus filtrer qu'une mince raie luisante.

— Monsieur Spade, dit-il, avez-vous une idée de ce que peut rapporter cet oiseau noir ?

— Non.

Gutman se pencha de nouveau en avant et posa une patte rose sur le bras du fauteuil de Spade.

— Si je vous le disais, monsieur, si je vous en disais seulement la moitié, vous me traiteriez de menteur.

— Non, dit Spade en souriant ; non, même si je le pensais. Mais si vous ne voulez pas courir ce risque, dites-moi de quoi il s'agit et je pourrai faire le calcul moi-même.

— Impossible, monsieur, dit Gutman, éclatant de rire. Personne ne peut le faire sans connaître ce genre de choses à fond... et (il s'interrompit)... l'oiseau noir est unique en son genre.

Un rire secoua son visage boursouflé. Puis, il reprit brusquement son sérieux et, les yeux fixés sur Spade avec une insistance de myope, l'air solennel, la lippe tombante, il demanda d'une voix si étonnée qu'elle en avait perdu son accent guttural :

— Prétendez-vous n'être pas au courant ?

Spade eut un geste indifférent de la main qui tenait son cigare.

— Oh ! Je sais de quoi cet oiseau a l'air, dit-il d'un ton léger. Je sais quelle importance vous attachez à sa possession. Un point c'est tout.

— Elle ne vous a donc rien dit ?

— Miss O'Shaughnessy ?

— Oui. Une créature charmante, monsieur.

— Exact. Non, elle ne m'a rien dit.

Les yeux du gros homme avaient l'air de deux traits lumineux en embuscade derrière les bourrelets de chair rose.

— Elle doit savoir, murmura-t-il. Et Cairo ne vous a rien dit non plus ? ajouta-t-il.

— Cairo est un malin. Il est prêt à acheter l'oiseau, mais il ne veut pas courir le risque de m'apprendre les détails que j'ignore.

Gutman passa l'extrémité de sa langue sur ses lèvres.

— Combien paierait-il ?

— Dix mille dollars.

— Dix mille, ricana-t-il, des dollars, pas même des livres ! Voilà bien les Grecs ! Et qu'avez-vous répondu ?

— J'ai dit que si je lui remettais l'oiseau, je comptais bien me faire régler.

— Ah, oui ! *Si !* Très astucieux.

Le front de Gutman se creusa de sillons adipeux.

— Ils doivent savoir, murmura-t-il. Croyez-vous qu'ils sachent ce que c'est, monsieur ? Qu'en pensez-vous ?

— Je ne peux rien pour vous, avoua Spade. On ne peut pas se fonder sur grand-chose. Cairo n'a pas ouvert la bouche. Elle a dit qu'elle ne savait pas, mais j'ai pensé qu'elle mentait.

— Ce qui se conçoit, dit Gutman, l'esprit manifestement ailleurs.

Il se gratta la tête, fronça le front qui se creusa de profondes rides rouges, remua dans son fauteuil autant que le permettait son poids par rapport à la taille du siège, ferma les yeux, puis les écarquilla brusquement.

— Il se peut qu'ils ne sachent rien! dit-il.

Sa face rose et boursouflée s'illumina graduellement.

— S'ils ne savent rien, cria-t-il, je suis le seul, sur la terre entière, à connaître la vérité!

Spade sourit légèrement.

— Je suis très heureux d'avoir frappé à la bonne porte, dit-il.

Le petit homme eut un sourire vague. La joie qui avait éclaté sur son visage venait soudain de s'évanouir malgré la persistance du sourire et une expression de méfiance était apparue dans ses yeux. Son visage était devenu un masque vigilant et souriant destiné à dissimuler ses réflexions à Spade. Son regard, fuyant celui du détective, glissa vers le guéridon. Son visage s'éclaira.

— Bonté du Ciel! dit-il, votre verre est vide!

Il se leva et prépara deux autres whiskies-soda.

Spade demeura immobile jusqu'à ce que le petit homme, d'un geste large, lui eût offert un verre plein.

— Voilà une médecine qui ne fera jamais de mal à personne, dit Gutman, en s'inclinant d'un air jovial.

Spade alors se leva, s'approcha de Gutman et posa sur lui un regard dur et brillant.

— Je bois aux paroles nettes et claires, dit-il sèchement, en levant son verre.

Gutman éclata de rire et but. Puis il se rassit tenant son verre à deux mains sur son ventre, et il sourit à Spade.

— Eh bien! monsieur, c'est peut-être surprenant, dit-il, mais il se peut qu'ils ignorent ce qu'est exactement l'oiseau noir et que personne ne le sache, excepté votre serviteur : Casper Gutman, Esquire.

— Parfait! dit Spade, debout, les jambes légèrement écartées, une main dans la poche de son pantalon, l'autre tenant son verre. Quand vous m'aurez mis au courant, nous serons deux, monsieur Gutman.

— C'est exact — mathématiquement, dit Gutman, l'œil brillant, mais... (son sourire s'élargit)... je ne sais pas si je vais vous mettre au courant.

— Ne soyez pas idiot, dit Spade patiemment. Vous savez ce qu'est l'oiseau. Je sais où il est. C'est pour ça que nous sommes ici.

— Où est-il donc?

Spade parut ignorer la question.

Gutman pinça les lèvres, leva les sourcils et inclina un peu la tête à gauche.

— Voyez-vous, dit-il tranquillement, vous me demandez de parler et vous refusez de répondre. Ce n'est pas équitable. Non, non, nous ne pouvons nous entendre dans ces conditions-là.

Le visage de Spade se ferma et pâlit brusquement. Il parla très vite, d'une voix rauque et sauvage.

— Réfléchissez, et réfléchissez vite. J'ai dit à votre tapette que vous devriez parler avant la fin. Je vous le répète : vous parlerez aujourd'hui ou vous serez lessivé. Croyez-vous que j'aie du temps à perdre, avec votre putain de secret? Bon Dieu! Je sais exactement ce que contiennent les caves de l'Hôtel des monnaies et je m'en contrefous! Je peux mener l'affaire sans vous! Peut-être auriez-vous pu réussir sans moi si vous m'aviez fichu la paix. Maintenant, c'est trop tard. Pas à San Francisco. C'est oui ou non; et tout de suite.

Il se retourna et écrasa son verre sur le guéridon. Le verre explosa et le liquide se mit à dégouliner sur le tapis. Comme s'il ne voyait ni n'entendait rien, Spade pivota violemment et toisa Gutman.

Gutman, impassible, n'avait pas bougé, les lèvres pincées, les sourcils levés, la tête inclinée.

— Autre chose, ajouta le détective toujours furieux. Je ne veux pas...

La porte, à gauche de Spade, s'ouvrit. Le blanc-bec entra, repoussa le battant et se tint debout, les mains plaquées sur les hanches. Ses yeux sombres, aux pupilles agrandies, examinèrent Spade, des épaules aux genoux, puis son regard remonta et se fixa sur la pochette marron qui décorait son veston.

— Autre chose, répéta Spade, sans lâcher le gamin des yeux. Que votre lopette ne se fourre pas dans mes pattes ou je le descends purement et simplement. Je ne l'aime pas. Il m'agace. Je le tuerai la prochaine fois qu'il se mettra sur mon chemin. Je ne lui donnerai pas une seule chance de s'en tirer. Je le tuerai.

Le gamin esquissa un pâle sourire, mais il ne dit rien et ne leva pas les yeux.

— Je dois reconnaître, monsieur, dit Gutman d'un ton conciliant, que vous avez un caractère un peu vif.

Spade éclata d'un rire âpre. Il rafla son chapeau sur la chaise où il l'avait posé, l'enfonça sur sa tête, puis il pointa l'index vers la bedaine de Gutman, et sa voix tonnante emplit la pièce.

— Triturez-vous les méninges et grouillez-vous! cria-t-il. Je vous donne jusqu'à cinq heures et demie. Après, vous vous brosserez.

Il laissa retomber son bras, toisa successivement Gutman et le gamin, tourna sur ses talons et gagna la porte.

— Cinq heures et demie! dit-il en l'ouvrant. Ensuite, rideau!

Le gamin, les yeux rivés sur la poitrine de Spade, répéta l'injure qu'il lui avait déjà lancée deux fois dans le hall du Belvedere. Sa voix était basse, amère.

Spade sortit, et il claqua la porte.

XII

CASSE-TÊTE

Spade descendit par l'ascenseur. Il avait le visage blême et couvert de sueur. Les lèvres sèches. Il tira son mouchoir pour s'éponger le front et vit que sa main tremblait. Il la regarda en ricanant.

— Pff! souffla-t-il avec une telle violence que le liftier tourna la tête par-dessus son épaule, pour demander :

— Monsieur ?

Il descendit Geary Street jusqu'au Palace Hotel où il déjeuna.

Il avait retrouvé tout son sang-froid lorsqu'il s'assit. Il mangea sans se presser, avec appétit, puis se rendit au bureau de Sid Wise.

Quand Spade entra, Wise se rongeait les ongles, les yeux fixés sur la fenêtre ; il ôta ses doigts de sa bouche et pivota sur son fauteuil.

— Hello, pose tes fesses, dit-il.

Spade tira un fauteuil près de la table couverte de dossiers et s'assit.

— Mme Archer est venue ? demanda-t-il.

— Oui.

Une faible lueur brilla dans les yeux de Wise.

— Tu vas te coller avec la rombière, Sammy ?

Spade soupira bruyamment.

Nom de Dieu ! grogna-t-il ; toi aussi ?

Un petit sourire fatigué se dessina sur les lèvres de l'avocat.

— Si tu ne l'épouses pas, tu vas te mettre une sacrée affaire sur les bras !

Spade leva les yeux et s'arrêta de rouler sa cigarette.

— Tu veux dire que c'est toi qui auras le boulot sur les bras, fit-il d'un ton acerbe. Tu es là pour ça. Qu'est-ce qu'elle a dit ?

— De toi ?

— De tout ce que je tiens à savoir ?

Wise passa la main dans ses cheveux. Des pellicules tombèrent sur le col de son veston.

— Elle m'a dit qu'elle avait essayé d'obtenir le divorce dans l'intention...

— Ça, je le sais, coupa Spade. Tu peux le sauter. Parle-moi de ce que j'ignore.

— Comment saurais-je ce qu'elle...

— Ça va, ça va, dit Spade en allumant sa cigarette. Raconte-moi ce qu'elle t'a demandé de ne pas me dire.

— Oh ! Sammy, fit l'avocat d'un ton de reproche, ce n'est pas...

Spade leva les yeux au plafond et grommela :

— Oh ! bon Dieu ! Il est mon avocat, il a fait sa pelote grâce à moi et il faudrait que je me jette à ses genoux pour le supplier de parler.

Il abaissa son regard sur Wise.

— Pourquoi diable crois-tu que je te l'ai envoyée ?

Wise fit une grimace dégoûtée.

— Encore un client comme toi, grommela-t-il, et je me retrouve dans un cabanon ou à San Quentin.

— Tu y retrouverais la plupart de tes clients. T'a-t-elle dit où elle était le soir du crime ?

— Oui.

— Où ?

— Elle le suivait.

Spade se redressa et cligna des yeux.

— Oh ! ces femelles ! fit-il d'un air incrédule.

Puis il se mit à rire.

— Qu'est-ce qu'elle a vu ? demanda-t-il.

— Pas grand-chose, dit Wise. Quand il est arrivé pour dîner ce soir-là, il lui a dit qu'il avait rendez-vous au Saint-

Mark avec une femme. Il l'a tannée en lui disant qu'elle avait sa chance d'obtenir le divorce qu'elle désirait tant. Elle a pensé d'abord qu'il voulait charrier. Il savait...

— Passons sur les histoires de famille. Dis-moi ce qu'elle a fait.

— Je te le dirai si tu me laisses parler. Après le départ de Miles, elle s'est dit qu'après tout c'était bien possible. Tu le connaissais, il ne reculait devant...

— Passons aussi sur le caractère de Miles. Après ?

— Tu mériterais que je te dise peau de balle. Elle a pris la bagnole au garage et elle l'a arrêtée devant le Saint-Mark, de l'autre côté de la rue. Elle a vu sortir son mari de l'hôtel, filant un couple qui venait tout juste de le quitter. Elle m'a dit que la femme était celle qui t'accompagnait hier soir. Elle a dû salement râler à en juger par le ton de sa voix quand elle m'a raconté ça. Elle a suivi Miles pour être bien sûre qu'il les filait, puis elle est allée chez toi. Tu étais sorti ?

— A quelle heure ?

— Quand elle est arrivée chez toi ? Entre neuf heures et demie et dix heures, la première fois.

— La première fois ?

— Oui, elle est revenue, après avoir brûlé de l'essence pendant une demi-heure ; il était, disons dix heures trente. Tu n'étais toujours pas là. Alors elle est allée au ciné pour tuer le temps, pensant qu'elle avait plus de chance de te trouver après minuit.

— Au cinéma ? A dix heures et demie ? demanda Spade les sourcils froncés.

— Qu'elle dit. Celui de Powel Street qui finit à une heure. Elle ne voulait pas rentrer chez elle, à ce qu'elle dit, parce qu'elle n'avait pas envie d'être là quand Miles arriverait. Ça le foutait toujours en boule, apparemment, surtout s'il était dans les minuit. Elle y est restée jusqu'à la fermeture.

Wise parlait d'une voix de plus en plus lente. Une lueur sardonique s'allumait dans ses yeux.

— Elle avait décidé, reprit-il, de ne pas retourner chez toi si tard. Tu l'aurais peut-être trouvée mauvaise. Elle est allée souper chez Tait, d'Ellis Street, puis elle est rentrée seule.

Wise se renversa dans son fauteuil et attendit.

— Tu crois tous ces bobards? demanda Spade après un silence.

— Et toi?

— Qu'est-ce qui me prouve que vous n'avez pas combiné ça tous les deux?

— Tu déconnes, Sam, répondit l'avocat en souriant. Tu te rends compte?

— Bien. Alors? Miles n'était pas rentré; il était au moins deux heures et il était mort!

— Miles n'était pas rentré, reprit Wise. Ça lui a fait piquer une nouvelle crise qu'il ne soit pas rentré le premier et soit furax de ne pas l'avoir trouvée à la maison. Alors, elle a ressorti la bagnole du garage et elle est retournée chez toi.

— Et je n'y étais pas. J'étais allé jeter un coup d'œil au macchabée. Quel sacré micmac! Et alors?

— Alors elle est rentrée et son mari n'était toujours pas là. Et quand elle se déshabillait, ta secrétaire est venue lui annoncer la nouvelle.

Spade ne répondit pas avant d'avoir roulé et allumé une cigarette.

— Ça va, dit-il enfin. Ça m'a l'air de se tenir d'après ce que je sais déjà.

Wise observait Spade d'un œil intéressé, tout en se passant une nouvelle fois la main dans les cheveux, ce qui eut pour effet de faire tomber d'autres pellicules sur ses épaules.

— Mais tu n'y crois pas? dit-il.

Spade ôta sa cigarette de ses lèvres.

— Ni oui ni non, fit-il. Je n'y pige pas grand-chose, Sid.

L'avocat grimaça un sourire et haussa les épaules d'un air las.

— Bon, soupira-t-il, alors je suis un faux jeton ? Pourquoi ne prends-tu pas un autre avocat... un type honnête ?

— Il n'est pas encore né, celui-là ! dit Spade, qui se leva tout en ricanant. Alors tu prends la mouche ? Tu trouves que je n'ai pas assez de boulot ? Il faut encore être poli avec toi ? Qu'est-ce que j'ai oublié ? La génuflexion en entrant ?

Sid Wise sourit, un peu gêné.

— Tu es un foutu emmerdeur, Sammy ! dit-il.

*

Effie Perine était plantée au milieu du bureau de réception quand Spade entra. Elle le regarda d'un air soucieux.

— Qu'est-ce qui s'est passé ? demanda-t-elle.

— Où ça ? fit Spade, dont les traits se tendirent.

— Pourquoi n'est-elle pas venue ?

Le détective fit deux pas rapides et empoigna Effie aux épaules.

— Elle n'est pas chez toi ? lui cria-t-il sous le nez.

Effrayée, elle fit un signe énergique de dénégation.

— J'ai attendu, attendu, et elle n'est pas venue. J'ai essayé de t'appeler au téléphone, sans résultat. Alors, je suis venue.

Spade fit un pas en arrière et enfonça les mains dans ses poches.

— Encore un autre casse-tête ! dit-il avec une rage contenue.

Il gagna à grands pas son bureau, puis en ressortit.

— Appelle ta mère, dit-il brusquement. Demande si elle est arrivée.

Il se mit à marcher de long en large, tandis qu'elle téléphonait.

— Non, dit-elle en raccrochant. Tu l'as envoyée en taxi ?

Il poussa un grognement vraisemblablement affirmatif.

— Tu es sûr... elle a dû être suivie !

Spade s'arrêta. Les poings sur les hanches, il toisa Effie :

— Personne ne l'a suivie ! aboya-t-il. Tu me prends pour

un potache ? Je m'en suis assuré avant de la mettre dans le taxi. Je suis monté avec elle et je l'ai accompagnée pendant une douzaine de blocks pour plus de sûreté et j'ai suivi le tacot des yeux un petit bout de temps après en être descendu.

— Oui... mais...

— Mais elle n'est pas arrivée. Tu viens de me le dire, je le crois. Tu penses que dans mon idée elle est arrivée ?

Effie Perine se mit à renifler.

— En tout cas, tu agis bien comme un potache, murmura-t-elle.

Spade grogna et marcha vers la porte.

— Je sors, je vais la chercher et la retrouverai, même si je dois racler les égouts. Reste ici jusqu'à mon retour ou alors je t'appellerai. Nom de Dieu ! il est temps de se mettre au boulot.

Il sortit, parcourut la moitié de la distance qui le séparait de l'ascenseur, puis il revint sur ses pas. Effie Perine était assise devant son bureau quand il ouvrit la porte.

— Tu devrais me connaître assez, dit-il, pour laisser tomber quand je parle comme ça.

— Si tu crois que je fais la moindre attention à toi, tu es cinglé, dit-elle, croisant les bras et tâtant ses épaules du bout des doigts. Je ne pourrai pas me mettre en robe du soir avant quinze jours, espèce de brute !

Il sourit humblement.

— Je suis un type infect, chérie, dit-il.

Puis il fit un plongeon et repartit.

Deux taxis jaunes étaient arrêtés à la station. Leurs chauffeurs bavardaient, debout sur le trottoir.

— Où est le blond au visage rougeaud qui était là à midi ? demanda Spade.

— En course, dit l'un d'eux.

— Il reviendra ici ?

— Faut croire.

— Le v'là, dit l'autre chauffeur, en tournant la tête.

Spade fit quelques pas et attendit que le chauffeur blond eût garé son tacot derrière les deux autres. L'homme descendit ; Spade marcha vers lui.

— Vous m'avez pris avec une dame, vers midi. Vous nous avez menés le long de Stockton Street, puis de Sacramento à Jones Street où je suis descendu.

— J'y suis, dit le chauffeur, je vous remets.

— Je vous ai donné une adresse sur la Neuvième Avenue. Vous n'avez pas mené la cliente à cette adresse. Où est-elle allée ?

Le chauffeur se frotta la joue et regarda Spade d'un air méfiant.

— Ça, j'en sais rien, dit-il.

Spade lui tendit l'une de ses cartes.

— Si ça vous paraît louche, dit-il, allons au bureau de la compagnie et votre patron vous couvrira.

— Oh ! ça va comme ça ! dit le chauffeur en haussant les épaules. Je l'ai menée au Ferry Building.

— Seule ?

— Oui.

— Elle ne s'est pas fait arrêter ailleurs ?

— Non. V'là comment ça s'est passé : Après que vous êtes descendu, j'ai continué dans Sacramento jusqu'à Polk Street. Là, elle a tapé la glace, elle a dit qu'elle voulait un journal. Je me suis arrêté à un coin de rue, j'ai sifflé un môme et elle a acheté son canard.

— Lequel ?

— Le *Call*. Après ça, j'ai continué un bout dans Sacramento et tout de suite après le croisement de Van Ness Street, elle a encore frappé et elle m'a demandé de la mener au Ferry Building.

— Elle avait l'air embêté ?

— Je n'ai rien remarqué.

— Et au Ferry Building ?

— Elle m'a payé, et voilà.

— Quelqu'un l'attendait ?

— J'ai rien vu.

— Où est-elle allée ?

— Au Ferry ? Montée ou descendue, je ne pourrais pas vous dire.

— Elle avait gardé son journal ?

— Ouais. Plié sous le bras.

— La feuille rose à l'extérieur ?

— Ça, chef, j'ai pas remarqué.

— Merci, dit Spade. (Il lui tendit un dollar.) Paye-toi un crapulos.

Spade acheta un numéro du *Call*, se mit à l'abri du vent dans le hall d'un immeuble et parcourut rapidement les gros titres des trois premières pages. Puis il feuilleta le journal. Rien ne parut attirer son attention jusqu'à la page 35 : prévisions météorologiques, arrivées et départs de bateaux, divorces, naissances, mariages et décès. Il consulta la liste des décès, sauta les pages 36 et 37 — la revue financière — ne trouva rien qui attire son attention sur la 38ᵉ et dernière page. Il soupira, plia le journal, le fourra dans sa poche et roula une cigarette.

Après cinq minutes de réflexions moroses à fumer dans le hall de l'immeuble, il remonta Stockton Street, sauta dans un taxi et se fit conduire au Coronet.

Il pénétra dans l'appartement de Brigid, avec la clé qu'elle lui avait laissée. La robe bleue qu'elle portait la veille était jetée sur le lit. Les bas et les escarpins traînaient sur le tapis. La boîte de marqueterie qui avait contenu les bijoux était vide, ouverte sur la coiffeuse. Spade fronça les sourcils, fit le tour de l'appartement sans toucher à rien, puis il quitta le Coronet et regagna le centre ville.

Il entrait dans le building où était son bureau, quand il se trouva nez à nez avec le blanc-bec qu'il avait laissé chez Gutman. Le blanc-bec lui barra le passage et dit :

— Venez, il veut vous voir.

Il tenait les mains enfoncées dans les poches de son pardessus, exagérément gonflées.

Spade ricana :

— Je ne comptais pas sur toi avant cinq heures vingt-cinq. J'espère que je ne t'ai pas fait attendre.

Le gamin leva les yeux et regarda la bouche de Spade. Puis il dit, d'une voix altérée et contenue :

— Continuez à vous foutre de moi et vous retirerez bientôt du plomb de votre nombril.

Spade éclata de rire.

— Toujours fort sur le boniment, hein, bébé ! Allons-y !

Ils descendirent Sutter Street côte à côte. Le gamin gardait ses mains dans les poches de son pardessus. Ils parcoururent une centaine de mètres en silence, puis Spade s'enquit aimablement :

— Il y a longtemps que t'as lâché la drogue ?

Le gamin ne parut pas avoir entendu.

— Tu n'as jamais... reprit Spade qui s'interrompit aussitôt.

Une lueur douce s'alluma dans ses yeux jaunes. Il ne parla plus.

Ils entrèrent à l'Alexandria, montèrent au onzième étage et prirent le couloir qui menait à l'appartement de Gutman. Ils étaient seuls.

Spade ralentit légèrement. A cinq ou six mètres de la porte, il était juste derrière le gamin. Il se pencha brusquement et l'empoigna aux avant-bras. Il pesa en avant et força les mains du gamin à soulever le pardessus au fond des poches. Le gamin se débattait, mais Spade avait une poigne de fer. Il se mit à ruer, mais les coups de pied passaient entre les jambes écartées de Spade. Puis Spade le souleva du sol et le laissa retomber sur ses pieds. Le tapis épais amortit le bruit. Au même instant le détective fit glisser ses mains qui emprisonnèrent les poignets du gamin.

Les dents serrées, le gamin ne cessait de se débattre, mais

il ne put empêcher les mains de Spade de descendre peu à peu vers les siennes. Il se mit à grincer des dents, tandis que Spade lui tordait les doigts. Ils restèrent un moment immobiles, Spade soufflait ; puis les bras du gamin se détendirent. Spade fit un pas en arrière : il tenait dans chaque main un lourd automatique.

Le gamin se retourna vers Spade blanc comme un linge, les mains toujours dans les poches de son pardessus. Il considérait la poitrine du détective sans rien dire.

Spade empocha les pistolets et ricana.

— Allons, dit-il, ton patron va sûrement te jeter des fleurs.

Ils atteignirent la porte de Gutman et Spade frappa.

XIII

LE CADEAU DE L'EMPEREUR

Gutman ouvrit. Un joyeux sourire éclaira son visage gras et rose.

— Entrez, monsieur, dit-il, tendant la main. Merci d'être venu. Entrez donc...

Spade serra la main tendue et entra suivi par le gamin. Gutman ferma la porte. Le détective tira de ses poches les deux pistolets et les tendit à Gutman.

— Tenez, dit-il. Vous ne devriez pas le laisser se balader avec ça. Il pourrait se blesser.

Le petit homme éclata de rire et prit les pistolets.

— Voyons, voyons, qu'est-ce que c'est ? dit-il regardant tour à tour Spade et le gamin.

— Un cul-de-jatte les lui avait chipés, dit Spade, mais je l'ai obligé à les lui rendre.

Le gamin, très pâle, prit les pistolets des mains de Gutman et les remit dans ses poches sans dire un mot.

— Bon Dieu, monsieur, dit Gutman qui s'était remis à rire, vous êtes un sacré phénomène bien digne d'être connu. Asseyez-vous et donnez-moi votre chapeau.

Le gamin sortit par la porte à droite de l'entrée.

Gutman installa Spade dans un fauteuil de peluche verte, près du guéridon, lui tendit un cigare, lui offrit du feu, prépara deux whiskies-soda, donna un verre à Spade et, le sien à la main, s'assit en face du détective.

— Tout d'abord, monsieur, dit-il, je voudrais vous présenter mes excuses...

— Passez la main, coupa Spade, et parlons de l'oiseau noir.

Le petit homme hocha la tête et regarda Spade d'un air amical.

— C'est parfait, dit-il, parlons-en. (Il but une gorgée du verre qu'il avait en main.) Vous n'avez certainement jamais rien entendu de pareil, et pourtant un bonhomme de votre trempe a dû en voir de toutes les couleurs.

Spade approuva d'un geste poli.

Gutman, les yeux mi-clos, demanda :

— Que savez-vous, monsieur, de l'ordre des Hospitaliers de Saint-Jean de Jérusalem, appelés plus tard chevaliers de Rhodes ?

Spade agita son cigare en un geste vague.

— Pas grand-chose, avoua-t-il. Seulement ce qui me reste de ce que j'ai appris en histoire à l'école. Ça n'était pas au temps des Croisades ? Quelque chose comme ça ?

— Très bien ! Vous avez dû oublier que Soliman le Magnifique les chassa de Rhodes en 1523 ?

— Je ne l'ai sans doute jamais su.

— Eh bien ! monsieur, c'est un fait ; les Hospitaliers se réfugièrent en Crète. Ils y demeurèrent sept ans, jusqu'en 1530, date à laquelle ils réussirent à persuader l'empereur

Charles Quint de leur céder (Gutman leva trois doigts boudinés et compta) : Malte, Gozzo et Tripoli.

— Oui ?

— Oui, monsieur, mais aux conditions suivantes : ils devaient payer à l'empereur un tribut annuel consistant en un faucon, marquant ainsi la soumission de l'Ordre à l'Espagne, car Malte devait retourner à cette nation si les Hospitaliers cessaient de l'occuper. Comprenez-vous ? Ils ne pouvaient abandonner ni vendre l'île.

— Oui.

Gutman regarda par-dessus son épaule pour vérifier que les trois portes étaient fermées, puis il rapprocha son fauteuil de celui de Spade et baissa la voix.

— Avez-vous une idée, murmura-t-il, de l'incommensurable richesse de l'Ordre à cette époque ?

— Si j'ai bonne mémoire, dit Spade, ils n'étaient pas à plaindre.

— Certes, reprit Gutman avec un sourire indulgent. (Son murmure devenait inaudible.) Ils roulaient sur l'or. Vous n'avez pas idée, monsieur. Personne ne peut s'en faire une idée. Pendant de longues années, ils avaient dépouillé les Sarrasins de leur or, de leurs pierres et de leurs étoffes précieuses, accumulant ainsi la crème de la crème de l'Orient. C'est historique, monsieur. Personne n'ignore que les Croisades étaient pour eux, comme pour les Templiers, avant tout une affaire de butin.

» Charles Quint leur cède donc l'île de Malte, n'exigeant qu'un tribut annuel insignifiant, un oiseau, à titre symbolique. Il n'est pas étonnant que les riches chevaliers aient tenté d'exprimer leur gratitude à l'égard de l'empereur en lui envoyant, pour payer le premier tribut, au lieu d'un oiseau vivant, un faucon d'or massif, incrusté, des serres au bec, des pierres les plus précieuses de leurs coffres. C'est ce qu'ils ont fait. Et leurs pierres précieuses étaient les plus belles d'Asie !

Gutman s'interrompit. Ses yeux noirs, luisants, scrutaient le visage de Spade qui demeurait calme et immobile.

— Eh bien! Que pensez-vous de tout cela? demanda-t-il.

— Je me demande.

— Ce sont des faits, reprit Gutman avec un sourire protecteur, des faits historiques. Ce n'est pas l'histoire qu'on enseigne à l'école, ni celle de M. Wells, mais c'est de l'histoire.

Il se pencha en avant.

— Les archives de l'Ordre, depuis le XIIᵉ siècle, sont à Malte, presque complètes. Elles ne contiennent pas moins de trois (il leva trois doigts) indications se rapportant à ce joyau. Dans l'ouvrage de J. Delaville Le Roulx : *Les Archives de l'Ordre de Saint-Jean*, il y a un renseignement, indirect il est vrai. Et l'opuscule; non publié parce que jamais terminé, le supplément à l'ouvrage de Paoli : *Dell' origine ed instituto del sacro militar ordine*, fait clairement allusion aux faits que je viens de vous rapporter.

— Très bien, dit Spade.

— Très bien, en effet, monsieur. C'est le grand maître Villiers de l'Isle-Adam qui a fait fondre et orner le faucon, haut d'un pied, par des esclaves turcs emprisonnés à Saint-Ange. Puis il l'envoya à l'empereur Charles, alors en Espagne, à bord d'une galère commandée par un certain Cormier ou Corvère, un Français, chevalier de l'Ordre.

Sa voix baissa de nouveau.

— Le faucon n'arriva jamais en Espagne. (Il eut une ébauche de sourire.) Avez-vous entendu parler de Barberousse, Khaïr ed-Din? Non? C'était un amiral, chef des pirates algériens. Il s'empara de la galère de Malte et emporta le faucon à Alger. C'est un fait. C'est un fait que l'historien français Pierre Dan a mentionné dans sa correspondance. Il a écrit, d'Alger, que l'oiseau était demeuré plus de cent ans dans la ville blanche, jusqu'au jour où Sir Francis Verney, l'aventurier anglais qui s'était joint aux

pirates algériens, l'a emporté. Etait-ce la même statuette ?
Pierre Dan en était convaincu et cela me suffit.

» Lady Frances Verney n'en dit rien dans : *La famille
Verney au XVII*[e] *siècle*, c'est certain. J'ai cherché en vain.
Mais il est certain aussi que Sir Francis ne possédait plus le
faucon quand il est mort misérablement à l'hôpital de
Messine, en 1615, sans un sou. Ce que l'on ne peut nier, c'est
que le joyau demeura en Sicile et devint la propriété du roi
Victor-Amédée II peu après son avènement, en 1713. Ce
prince en fit don à sa femme quand il se maria, à Chambéry,
après son abdication. Cela, c'est un fait indéniable, monsieur. Carutti, l'auteur de : *Storia del Regno di Vittorio
Amadeo II*, l'affirme.

» Peut-être Amédée et sa femme l'ont-ils apporté plus
tard à Turin, quand le prince a tenté de revenir sur son
abdication. Quoi qu'il en soit, il tomba entre les mains d'un
Espagnol servant à l'armée qui prit Naples en 1734, le père
de Don José Moñino y Redondo, comte de Florida Blanca et
premier ministre du roi Charles III. Il dut rester dans cette
famille jusqu'à la fin de la guerre carliste, vers 1840. Puis,
on le retrouve à Paris, au moment où les Carlistes, vaincus,
s'étaient réfugiés en France. Celui qui l'apporta devait
ignorer sa valeur. Le joyau avait été, en effet, sans doute par
précaution pendant les troubles en Espagne, recouvert
d'une couche de peinture ou d'émail noir qui lui donnait
l'aspect d'une pièce sans valeur. C'est sous cette carapace
qu'à Paris il passa de main en main pendant soixante-dix
ans, les acheteurs successifs et les marchands étant trop
bêtes pour voir quel trésor leur filait entre les doigts.

Le petit homme sourit et hocha la tête d'un air plein de
regret.

— Pendant soixante-dix ans, monsieur, répéta-t-il, cette
merveille, comme un ballon de football, direz-vous, roula
dans les ruisseaux de Paris — jusqu'en 1911, où un
marchand grec, Charilaos Konstantinides, l'acheta dans
une obscure boutique de brocanteur. Le Grec n'hésita pas à

l'acquérir ; il en connaissait l'origine et il ne fut point dupe de la couche d'émail. En fait, monsieur, c'est Charilaos qui a reconstitué l'histoire du faucon dans sa majeure partie et l'a identifié. J'ai eu vent de la chose et j'ai, au prix de gros sacrifices, arraché au Grec à peu près toute l'histoire, que j'ai plus ou moins complétée depuis en y ajoutant quelques détails que j'ai glanés çà et là.

» Charilaos n'était pas pressé de convertir sa découverte en espèces sonnantes. Il n'ignorait pas que, quelle que fût la valeur intrinsèque du faucon, un prix plus important pouvait être obtenu de l'un des ordres actuels qui se réclament des Hospitaliers : l'ordre anglais de Saint-Jean de Jérusalem, le Johanniterorden prussien, l'ordre de Malte, qui sont tous riches. Il suffisait de prouver l'authenticité du joyau.

Gutman prit son verre, sourit en le voyant vide et se leva pour l'emplir en même temps que celui de Spade.

— Commencez-vous à me croire ? demanda-t-il à Spade tout en actionnant le siphon.

— Je n'ai jamais dit le contraire.

— Non, mais vous aviez un drôle d'air, dit Gutman en riant.

Il s'assit, avala une bonne rasade et s'essuya les lèvres avec un mouchoir blanc.

— Afin de poursuivre tranquillement ses recherches historiques, Charilaos avait recouvert le faucon d'une nouvelle couche d'émail et c'est apparemment dans cet état qu'il est actuellement. Or, un an exactement après le jour où il avait été découvert, et trois mois environ après qu'il m'eut conté l'histoire de l'oiseau, je lus dans le *Times*, à Londres, que Charilaos avait été assassiné et sa maison cambriolée.

» J'étais à Paris le lendemain. (Il secoua tristement la tête.) Le faucon avait disparu. J'étais fou, monsieur ! Je ne croyais pas qu'un autre que moi connût le secret du Grec. A la réflexion, je conclus, en constatant le nombre important des objets dérobés, que le voleur avait emporté l'oiseau sans connaître sa valeur réelle. Je vous assure qu'un voleur au courant ne se serait pas chargé d'autre chose — excepté peut-être des diamants de la Couronne.

Il ferma les yeux et sourit avec complaisance à quelque pensée qu'il n'exprima pas. Puis il rouvrit les yeux et continua :

— Il y a dix-sept ans de cela. Oui, monsieur, j'ai mis dix-sept ans à retrouver cet oiseau, mais j'y suis parvenu. Je le voulais, je le veux, et je ne me décourage pas facilement quand je tiens à quelque chose. (Son sourire s'élargit.) Je le voulais et je l'ai trouvé. Je le veux et je l'aurai. (Il vida son verre, s'essuya encore les lèvres et remit son mouchoir dans sa poche.) Je découvris donc qu'il était chez un général russe nommé Kemidov, qui habitait un faubourg de Constantinople. Il ignorait la valeur du faucon. Pour lui, c'était une statuette d'émail noir. Malheureusement, cet homme avait un gros défaut : l'esprit de contradiction, propre à tout général russe, et il refusa de me le vendre. Peut-être manifestai-je trop d'empressement, d'impatience. Je dus me montrer maladroit. Je craignais tant que le stupide militaire fît une enquête ou eût l'idée de gratter la couche d'émail. Je décidai donc d'envoyer des... représentants, avec la mission de s'en emparer à n'importe quel prix. Ils ont réussi, mais je n'ai jamais vu le faucon.

Il se leva et posa sur le guéridon son verre vide.

— Mais je l'aurai, dit-il. Votre verre, monsieur ?

— En somme, l'oiseau ne vous appartient pas : il est la propriété du général, dit Spade.

— Propriété ? dit gaiement le petit homme, mais monsieur, vous pouvez soutenir aussi qu'il appartient au roi d'Espagne, mais il me semble que, dans un cas pareil, possession vaut titre. (Il gloussa.) Un objet de cette valeur qui est passé de main en main par de tels moyens est incontestablement la propriété de celui qui a réussi à se le procurer.

— Alors, il est actuellement à Miss O'Shaughnessy ?

— Non, monsieur, elle l'a obtenu en mon nom.

— Oh ! fit Spade ironique.

Gutman, pensif, regardait le bouchon de la bouteille de whisky au creux de sa main.

— Il n'y a pas de doute qu'elle l'ait en ce moment ? demanda-t-il.

— Très peu.

— Où est-il ?

— Je ne sais pas au juste.

Le petit homme posa très fort la bouteille sur le guéridon.

— Vous m'aviez dit que vous le saviez, protesta-t-il.

Spade eut un geste insouciant.

— Je voulais dire, expliqua-t-il, que je saurais où le trouver au bon moment.

Le visage boursouflé de Gutman se rasséréna.

— Alors, vous savez ?

— Oui.

— Où ?

Spade sourit :

— Fiez-vous à moi. Le déroulement, c'est moi que ça regarde.

— Mais, quand ?

— Quand je serai prêt.

Le petit homme, les lèvres serrées, ébaucha un sourire.

— Où est Miss O'Shaughnessy ?

— Je l'ai mise en lieu sûr.

Gutman approuva, souriant.

— Je m'en rapporte à vous, monsieur, dit-il. Mais avant de parler chiffres, répondez-moi : quand pensez-vous, ou consentirez-vous à me remettre le faucon ?

— Dans un ou deux jours.

— C'est parfait, dit le petit homme, hochant la tête. Mais nous nous desséchons.

Il se tourna vers le guéridon, versa du whisky et de l'eau

de Seltz dans les verres, en poussa un vers Spade et leva le sien.

— Je bois, monsieur, dit-il, à une honnête tractation et au maximum de bénéfices.

Ils burent, puis Gutman se rassit.

— Qu'appelez-vous honnêtes tractations au juste ? demanda Spade.

Gutman contempla tendrement son verre, but et dit :

— J'ai deux propositions à vous soumettre, également avantageuses : vous choisirez. Je vous verse vingt-cinq mille dollars à la remise du faucon et vingt-cinq mille dollars dès mon arrivée à New York, ou bien, je vous réserve un quart — vingt-cinq pour cent — de la somme que je tirerai de la vente de l'oiseau. Voilà. Ou bien, cinquante mille dollars presque tout de suite, ou une somme bien plus importante, dans un ou deux mois.

— De combien plus importante ?

— Qui sait ? Cent mille dollars, un quart de million peut-être. Me croiriez-vous si je vous disais que le strict minimum...

— Pourquoi pas ?

Gutman fit claquer sa langue et ronronna.

— Que diriez-vous, monsieur, d'un demi-million de dollars ?

— Alors, vous pensez que ce truc vaut deux millions ? demanda Spade, les yeux mi-clos.

— Pour reprendre vos propres termes, pourquoi pas ? fit Gutman très calme.

Spade vida son verre et le posa sur le guéridon. Il tira sur son cigare, l'ôta de sa bouche, l'examina et le replaça entre ses lèvres. Son regard était un peu trouble.

— C'est un sacré magot ! dit-il.

— C'est un sacré magot, répéta Gutman penché vers le détective et lui tapotant le genou de la main. C'est le minimum, ou Charilaos était le dernier des idiots — et ce n'était pas le cas.

Spade ôta de nouveau son cigare de sa bouche. Il l'examina d'un air dégoûté, les sourcils froncés, et le posa dans le cendrier. Puis, il ferma les yeux et les rouvrit. Ils étaient vitreux.

— Le... minimum ? bégaya-t-il. Et le maximum ?

Il prononça maxchimum, avec effort.

— Le maximum ? dit Gutman, la main levée. Je n'y veux pas penser. Vous diriez que je suis fou. Impossible d'estimer le prix qu'il pourrait atteindre, monsieur, et c'est la seule chose qui soit incontestable.

Spade serra les lèvres et secoua la tête. Une lueur de crainte brilla brusquement dans ses yeux, tout de suite voilée. Il se leva, s'aidant des mains appuyées sur les bras du fauteuil, secoua encore la tête et fit un pas incertain en avant. Il eut un rire épais et murmura :

— Nom de Dieu !

Gutman fit un bond en arrière, repoussant son fauteuil. Ses yeux étaient comme de minuscules trous noirs dans sa face huileuse. Spade dodelinait de la tête, les yeux fixés sur la porte. Il trébucha une deuxième fois.

— Wilmer ! cria Gutman d'une voix sèche.

Une porte s'ouvrit et le gamin entra.

Spade fit un troisième pas. Son visage était gris, sa bouche entrouverte, ses maxillaires gonflés. Il fit un autre pas, les jambes molles, les yeux presque fermés.

Le gamin s'approcha, s'arrêta presque devant lui, mais sans lui bloquer le passage jusqu'à la porte, la main droite glissée sous son veston. Les coins de sa bouche frémissaient.

Spade tenta de faire un nouveau pas.

Le gamin étendit la jambe. Spade trébucha et s'écroula, le nez dans le tapis. Le gamin, la main droite toujours enfouie sous son veston, regarda Spade à ses pieds qui essayait de se relever. Le gamin prit son élan et lui décocha un violent coup de pied dans la tempe. Spade roula sur le

côté. Il tenta une dernière fois de se relever et tomba dans
les pommes.

XIV

LA PALOMA

Spade sortit de l'ascenseur et se dirigea vers son bureau.
Il était six heures du matin. Il vit de la lumière derrière la
vitre dépolie de la porte et s'arrêta net, les lèvres serrées. Il
inspecta le couloir, puis s'approcha de la porte à pas
rapides et silencieux.

La main sur le bouton, il le fit tourner avec précaution et
poussa : la porte était fermée. Maintenant le bouton de la
main gauche cette fois, il tira son trousseau de clés serré
dans son poing pour ne pas les entrechoquer, sépara des
autres la clé de son bureau et serra le reste du trousseau
dans sa paume avec trois doigts repliés, puis il inséra la clé
dans la serrure, sans bruit, respira un grand coup, se dressa
sur la pointe des pieds, ouvrit brusquement et entra.

Effie Perine roupillait la tête sur les bras, assise au
bureau. Elle avait mis son manteau et s'était enroulée dans
l'un des pardessus de Spade.

Spade étouffa un rire, referma la porte et entra dans son
bureau. Il était vide. Spade revint sur ses pas et posa une
main sur l'épaule d'Effie.

Elle remua, souleva lentement la tête et ses paupières se
mirent à battre. Puis, d'un seul coup, elle se redressa, les
yeux grands ouverts, vit Spade, sourit et se frotta les yeux.

— Enfin, te voilà, dit-elle. Quelle heure est-il ?

— Six heures. Qu'est-ce que tu fabriques ici ?

Elle frissonna, serra contre elle le pardessus et bâilla.

— Tu m'avais dit de rester jusqu'à ton retour ou jusqu'à ce que tu téléphones.

— Tu es la frangine du mousse qui ne voulait pas quitter le pont pendant que le bateau cramait.

— Je n'allais pas...

Elle s'interrompit et se leva. Le pardessus glissa sur le siège du fauteuil. Elle regarda d'un œil affolé la tempe de Spade sous le bord du chapeau.

— Oh! ta tête! s'écria-t-elle. Qu'est-ce qui t'est arrivé?

Spade avait une énorme bosse noirâtre au-dessus de l'oreille.

— Je ne sais pas si je suis tombé ou si on m'a sonné. Ça n'a pas l'air terrible, mais ça me lance drôlement!

Il effleura sa tempe du bout des doigts, fit une grimace vite transformée en un pâle sourire et expliqua :

— J'ai fait une visite, on m'a drogué et je me suis réveillé couché sur un tapis, douze heures plus tard.

Elle lui ôta son chapeau.

— C'est affreux, dit-elle. Il faut voir un toubib. Tu ne peux pas te promener avec une tête pareille.

— Ce n'est pas si grave que tu le crois, la migraine à part ; et ça encore, c'est la drogue, dit-il.

Il marcha vers le lavabo, dans le coin du bureau, et fit couler de l'eau froide sur son mouchoir.

— Rien de nouveau? demanda-t-il.

— As-tu retrouvé Miss O'Shaughnessy, Sam?

— Pas encore. Rien d'autre?

— On a téléphoné du bureau du district attorney : il veut te voir.

— Lui-même?

— Oui. Si j'ai bien compris. Et un gamin est venu aussi hier soir, disant que M. Gutman t'attendait avant cinq heures trente.

Spade ferma le robinet, tordit son mouchoir et revint en le tenant pressé sur sa tempe.

— Je sais, dit-il. J'ai rencontré ce type en bas, j'ai vu Gutman ; voilà, ça m'a rapporté ce marron !

— C'est lui le « G » qui a téléphoné, Sam ?

— Oui.

— Alors ?

Spade regardait dans le vague, comme s'il ordonnait ses pensées :

— Il veut quelque chose et il croit que je peux le lui procurer, répondit-il. Je l'avais menacé d'agir seul s'il ne concluait pas l'affaire avant cinq heures trente. Alors, c'est après lui avoir déclaré qu'il devait attendre un ou deux jours qu'il m'a drogué, une saloperie dans du whisky. Il savait que je n'en mourrais pas, que j'en avais pour dix à douze heures. Il devait penser qu'il s'en tirerait sans moi si j'étais mis hors de course. (Il fronça les sourcils.) J'espère qu'il s'est foutu dedans.

Son regard devint plus net.

— Pas de nouvelles de O'Shaughnessy ?

Elle fit non de la tête.

— Est-ce qu'elle est mêlée à cette affaire ? demanda-t-elle.

— Plus ou moins.

— Cette chose que le type veut, lui appartient ?

— A elle ou au roi d'Espagne. Dis, mon chou, tu n'as pas un oncle professeur d'histoire à l'Université ?

— Un cousin, pourquoi ?

— Crois-tu que si on embellissait sa vie avec un secret historique garanti, vieux de quatre siècles, il tiendrait sa langue pendant quelques jours ?

— Oh, oui ! C'est un bon type.

— Parfait. Prends ton bloc et un crayon.

Elle alla chercher son matériel et se rassit. Spade réimbiba son mouchoir d'eau fraîche et, le tenant contre sa tempe, debout devant Effie, il lui dicta l'histoire du faucon, telle qu'il la tenait de Gutman, depuis Charles-Quint et les Hospitaliers, jusqu'à l'arrivée de l'oiseau à Paris avec les

Carlistes. Il écorcha un peu les noms des auteurs et des titres des ouvrages cités par Gutman, mais il se débrouilla avec la reconstitution phonétique des mots et répéta le reste de l'histoire avec la précision d'un reporter chevronné.

Quand il eut fini, la jeune fille leva vers lui son visage souriant et empourpré.

— Fantastique! dit-elle. Est-ce que...

— Oui, ou con comme la lune, coupa-t-il. Tu vas montrer ça à ton cousin et lui demander ce qu'il en pense. Est-il jamais tombé sur quelque chose qui pourrait se rattacher à cette histoire? Est-ce probable, possible, ou bien est-ce de la foutaise? Qu'il prenne son temps pour vérifier. Mais je voudrais bien connaître tout de suite sa première impression. Et surtout, bon Dieu! qu'il la boucle.

— J'y vais tout de suite, dit-elle, et toi, va voir un toubib.

— Nous allons déjeuner d'abord.

— Non, je déjeunerai à Berkeley. Je ne peux pas attendre de voir Ted.

— Bon. Ne sois pas trop épatée s'il te rit au nez.

Après un tranquille déjeuner au Palace où Spade lut les journaux du matin, il rentra chez lui pour se raser, prendre un bain, se passer de la glace sur la tempe et se changer.

Il se rendit ensuite chez Brigid, au Coronet. L'appartement était vide, tel qu'il l'avait vu lors de sa dernière visite.

A l'Alexandria, Gutman était sorti. Les deux personnes qui l'accompagnaient étaient également absentes. Il apprit qu'il s'agissait du secrétaire Wilmer Cook, et de la fille de Gutman, Rhea, une petite blonde de dix-sept ans aux yeux marron qui était du tonnerre, s'il fallait en croire le personnel de l'hôtel. Spade apprit que Gutman était arrivé de New York, dix jours auparavant et qu'il était toujours là.

Au Belvedere, le détective de l'hôtel déjeunait dans la salle du restaurant.

— Salut, Sam. Assieds-toi et bouffe un morceau, dit-il. Oh, bon Dieu! Qu'est-ce que tu t'es fait mettre!

— Merci, j'ai déjeuné, dit Spade prenant une chaise ; (puis, touchant sa tempe :) C'est rien. Que devient mon petit copain Cairo ?

— Il est sorti, hier, une demi-heure après ton départ et je ne l'ai pas revu. Il a encore découché.

— Il est sur une mauvaise pente.

— Tu penses, un type comme ça, tout seul dans la grande ville ! Qui t'a arrangé comme ça ?

— Ce n'est pas Cairo. (Spade baissa les yeux sur la tartine beurrée de Luke.) Pas moyen de visiter sa chambre pendant son absence ?

— Si. Tu sais que je suis prêt à te donner un coup de main, dit Luke. (Il repoussa sa tasse, mit les coudes sur la table et regarda Spade en plissant les yeux.) Mais j'ai comme une idée que tu ne joues pas tout à fait franc-jeu avec moi. Qu'est-ce que c'est que ce gars-là au juste ? Ne me fais pas le coup du mépris. Tu sais que je suis réglo.

— Je t'ai tout dit, répondit candidement Spade ; je travaille pour lui, mais il a des copains qui ne me reviennent pas et il m'inspire quelques soupçons.

— Le gamin qu'on a vidé hier est de la bande.

— Oui, Luke.

— Et c'est un de ceux-là qui a buté Miles.

Spade secoua la tête.

— C'est Thursby qui a descendu Miles, dit-il.

— Et qui a tué Thursby ?

— Ça, c'est un secret, dit Spade en souriant, mais entre nous je peux te dire que c'est moi... d'après les flics.

Luke grogna et se leva.

— Tu passes ton temps à charrier, dit-il. Allez, viens, on va faire un tour chez Cairo.

Ils s'arrêtèrent au bureau où Luke demanda qu'on le prévînt par téléphone si Cairo s'amenait, puis ils montèrent à l'étage. Le lit n'était pas défait, mais du papier dans la corbeille, les rideaux mal tirés, des serviettes jetées dans la salle de bains prouvaient nettement que la femme de chambre n'était pas encore passée.

Les bagages de Cairo consistaient en une grande malle, une valise et un sac de cuir souple. Les étagères de la salle de bains étaient encombrées de pots de cosmétique et de crème, d'onguents, de parfums, de lotions. Deux complets et un pardessus étaient accrochés dans la penderie au-dessus de trois paires de chaussures miroitantes.

La valise et le sac étaient ouverts. Luke ouvrit la malle, tandis que Spade inspectait la salle de bains.

— Rien jusqu'ici, dit Spade en rejoignant Luke pour fouiller la malle.

— Qu'est-ce que tu cherches au juste ? demanda Luke, refermant la malle.

— Je ne sais pas. Le type doit venir de Constantinople. J'aurais voulu en être sûr. Mais je n'ai rien vu qui prouve le contraire.

— Quel est son business ?

Spade secoua la tête.

— Je voudrais bien le savoir aussi.

Il se leva et se pencha sur la corbeille à papiers.

— La dernière cartouche, dit-il.

Il en tira un journal et ses yeux brillèrent quand il constata que c'était le numéro du *Call* de la veille, plié à la page mentionnant les naissances, les décès, les divorces et le mouvement du port. Dans le coin gauche inférieur, il manquait une bande large de quelques centimètres. Immédiatement au-dessus on pouvait lire :

Arrivées du jour.

12.20 *Capac*, d'Astoria.

5.5   *Helen P. Drew*, de Greenwood.

5.10 *Albarado*, de Bandon.

La déchirure coupait la ligne suivante, où l'on ne pouvait lire que : ... *de Sydney*.

Spade posa le *Call* sur la table et vida la corbeille. Il trouva un petit morceau de papier d'emballage, une ficelle, deux étiquettes de grand magasin, un ticket de vente pour six paires de chaussettes et un fragment de journal roulé en boulette. Il le déplia avec soin et l'adapta à la page du journal. C'était la partie qui manquait, à l'exception d'une bande qui devait contenir la suite de la liste ; un espace suffisant pour mentionner quatre ou cinq navires. Il retourna la page. L'autre côté, à l'endroit de la déchirure, se rapportait seulement au placard publicitaire d'un agent de change.

— Qu'est-ce que c'est que ce fourbi ? demanda Luke par-dessus l'épaule de Spade.

— Le type a l'air de s'intéresser à l'arrivée des bateaux.

— C'est pas défendu, dit Luke.

Spade plia la page déchirée et la mit dans sa poche.

— T'as fini ? ajouta-t-il.

— C'est tout, merci, ma vieille. Téléphone-moi quand il rentrera, veux-tu ?

— Entendu.

*

Spade acheta, au bureau du *Call*, un exemplaire de la veille et compara le tableau du mouvement du port avec la page du journal de Cairo. Le morceau manquant indiquait les arrivées suivantes :

5.17 *Tahiti*, de Sydney et Papeete.
6.5 *Admiral People*, d'Astoria.
8.7 *Caddopeak*, de San Pedro.
8.5 *La Paloma*, de Hong-Kong.
9.3 *Daisy Grey*, de Seattle.

Spade parcourut la liste lentement, souligna de l'ongle : Hong-Kong, découpa le tableau des arrivées avec son canif, jeta le reste du journal et la feuille de celui de Cairo dans la corbeille et regagna son bureau.

Il s'assit à sa table, prit l'annuaire du téléphone, chercha un numéro et décrocha l'appareil.

— Allô !... Kearny, 1401, s'il vous plaît... Où est ancrée la *Paloma*, arrivée de Hong-Kong hier matin ?...

Il répéta sa question, dit : « Merci », raccrocha, attendit un moment, puis redemanda :

— Davenport 2020, s'il vous plaît... Je voudrais parler au sergent Polhaus... Merci... Allô ! Tom ? Ici Spade... Oui, je n'ai pas pu t'avoir hier... Oui. on bouffe ensemble... Entendu.

Il garda l'appareil collé à l'oreille, coupa la communication et redécrocha.

— Davenport 0170, s'il vous plaît... Allô !... Ici Samuel Spade. Ma secrétaire a reçu hier un message. M. Bryan désire me voir. Voulez-vous lui demander à quelle heure je peux venir ?... Oui, Spade, S-p-a-d-e. (Il y eut une longue pause.) Allô !... Oui... Deux heures trente... Parfait, merci.

Il demanda un quatrième numéro.

— Allô ! mon petit, passez-moi Sid... Allô ! Sid ?... Sam. J'ai un rendez-vous avec le district attorney, cet après-midi, à deux heures trente. Appelle-moi — ici ou chez lui — vers quatre heures pour voir si tout gaze bien... Quoi ?... Je m'en fous de ton golf du samedi après-midi ! Ton boulot, c'est de te débrouiller pour que je n'aille pas en taule !... Bon, bon. Salut, vieux.

Il raccrocha, s'étira, bâilla, tâta sa tempe tuméfiée, regarda sa montre et roula une cigarette. Il fumait d'un air endormi quand Effie Perine entra.

Elle souriait, les yeux vifs, le teint rose.

— Ted dit que c'est possible ! fit-elle, et il espère que c'est vrai. Il n'a pas étudié spécialement cette époque, mais les dates et les noms sont justes et du moins, aucun des auteurs et des ouvrages cités ne sont bidons. Ted est comme fou.

— Parfait ! Mais qu'il ne se monte pas le bourrichon. Surtout si c'est un bobard.

— Oh! ça m'étonnerait, Ted en connaît un bout!

— Je sais, tous les membres de la famille Perine sont des as... Sans oublier Effie Perine, avec sa tache de suie sur le nez!

— D'abord, ce n'est pas un Perine, mais un Christy.

Elle tira une glace de son sac pour s'examiner.

— Ça doit venir de cet incendie! fit-elle, frottant son nez du coin de son mouchoir mouillé de salive.

— L'enthousiasme des Perine et des Christy a foutu le feu à Berkeley?

Elle lui fit une grimace, tandis qu'elle se poudrait avec une houppette rose.

— C'est la fumée d'un bateau qui brûlait. Le transbordeur par lequel je suis revenue a été pris dans un nuage de fumée et ils remorquaient le bateau vers le large.

Spade posa ses mains à plat sur les bras de son fauteuil.

— As-tu vu le nom du bateau? demanda-t-il.

— Oui : *La Paloma*. Pourquoi?

Spade sourit tristement.

— Je veux bien être pendu si je le sais, mon chou, dit-il.

XV

TOUS LES TIMBRÉS

Spade et le sergent Polhaus s'envoyaient des pieds de porc aux pickles, à la States Hof Brau. Tom tenant au bout de sa fourchette une bouchée de gelée transparente qui tremblotait, déclara :

— Laisse tomber, Sam! Ne pense plus à l'autre soir. Il avait tort, bien sûr, mais tu sais bien qu'un homme peut perdre son sang-froid quand on le met en boîte comme tu l'as fait.

— C'est pour ça que tu voulais me voir? dit Spade, regardant son ami d'un air pensif et soucieux.

Polhaus approuva de la tête et avala sa gelée.

— Surtout pour ça, expliqua-t-il.

— C'est Dundy qui t'envoie?

— Tu sais bien que non, dit Tom avec une moue dégoûtée. C'est une vraie tête de cochon comme toi.

— Non ; lui, il se contente de le croire, rectifia Spade en souriant.

Polhaus fronça les sourcils et s'attaqua, couteau en main, à son pied de porc.

— Tu seras un gosse toute ta vie! grogna-t-il. De quoi te plains-tu? C'est toi qui as emporté le morceau. Pourquoi râles-tu? Tu te gâtes le tempérament.

Spade posa soigneusement couteau et fourchette sur son assiette et mit ses mains à plat sur la table.

— Avec tous les flics de la ville qui font des heures supplémentaires pour essayer de me fourrer dans le pétrin, dit-il avec un sourire froid, un peu plus un peu moins, je ne m'en apercevrai même pas.

Polhaus rougit.

— Et c'est à moi que tu racontes ça?

Sam, reprenant son couteau et sa fourchette, se remit à manger.

— Tu as vu le bateau qui brûlait dans la baie? demanda-t-il.

— J'ai vu la fumée. Sois raisonnable. Sam. Dundy avait tort et il le sait. Laisse tomber!

— Je pourrais peut-être aller lui demander si mon menton ne lui a pas amoché les jointures?

Tom, sans répondre, gratta furieusement un os de la lame de son couteau.

— Phil Archer est encore venu vous apporter des tuyaux? demanda soudain Spade.

— Merde! Dundy n'a jamais pensé que tu avais descendu

Miles, mais il fallait bien poser la question et jeter la sonde. Tu en aurais fait autant, tu le sais bien.

— Oui ? fit Spade. (Une lueur de méchanceté traversa son regard.) Et pourquoi pas moi ? A ton avis, c'est moi ou non ?

Tom rougit de nouveau.

— C'est Thursby qui a descendu Miles, dit-il.

— Tu crois ça ?

— C'est sûr. Ce Webley était à lui et le pruneau qui a tué Archer est sorti du canon de ce flingue.

— Sûr ?

— Absolument. On a déniché un groom de l'hôtel de Thursby qui a vu le revolver dans sa chambre le jour même. Il l'a remarqué à cause de sa forme. Il n'en avait jamais vu de pareil. Moi non plus. Tu dis qu'on n'en fabrique plus et il y a peu de chances qu'il y en ait un autre à San Francisco. De toute façon, où serait passé celui de Thursby ? La balle est sortie de ce canon-là.

Il porta un morceau de pain à sa bouche, s'immobilisa la main en l'air et demanda :

— Tu dis que tu en as déjà vu ? Où ?

Il avala son pain.

— En Angleterre, avant la guerre.

— Je vois.

— Alors, fit Spade, comme ça, je n'ai plus que le meurtre de Thursby sur les reins ?

Polhaus gigota sur sa chaise, le visage rouge et luisant.

— Nom de Dieu ! grogna-t-il. Tu vas nous casser les pieds longtemps avec ça ? Je te répète que c'est fini. Tu le sais aussi bien que moi. On ne dirait pas que tu es détective, à t'entendre geindre. Tu n'as jamais fait un coup comme celui qu'on t'a fait, non ?

— Tu veux dire : essayé de me faire, Tom. Essayé, seulement.

Polhaus jura sourdement et se remit à manger.

— Bon, dit Spade. Pour toi et moi c'est liquidé. Mais qu'en pense Dundy ?

— Il pense que tu n'y es pour rien.

— Il a fini par comprendre ?

— Vingt dieux ! Sam, il n'a jamais pensé...

Tom s'interrompit en surprenant le sourire ironique de Sam :

— On a le dossier Thursby, enchaîna-t-il.

— Et alors ?

Les petits yeux bruns de Tom étudièrent pendant quelques secondes le visage de Spade.

— Je serais content d'en savoir seulement la moitié de ce que vous autres, petits futés, croyez que je sais sur cette affaire, dit Sam d'un ton irrité.

— Nous aussi, grogna Tom. Thursby était un « tueur » de Saint-Louis. Il s'est fait ramasser plusieurs fois, mais, comme il était de la bande Egan, il s'est toujours tiré des pattes. Je ne sais pas pourquoi il a quitté cette planque, mais il s'est fait pincer à New York pour avoir fait des cartons dans un tripot ; c'est sa poule qui l'a donné : un an de taule, puis Fallon l'a tiré de là. Deux ans plus tard, on le retrouve au pénitencier de Joliet, pour avoir buté une autre poule qui l'avait doublé. Après, il travaille pour Dixie Monahan qui le tire d'affaire chaque fois qu'il se fait cueillir. C'était au moment où Dixie était un grand caïd, comme Nick le Grec, dans les tripots de Chicago. Thursby était garde du corps de Monahan et il a mis les bouts avec lui, après une histoire de dettes non réglées. Il y a deux ans de ça : à peu près au moment où on a bouclé le Beach Boating Club. Depuis, on n'a plus entendu parler de l'un ni de l'autre jusqu'à ces jours-ci.

— On a vu Dixie ? demanda Spade.

— Non, dit Tom, l'œil inquisiteur. Non à moins que tu l'aies vu ou que tu connaisses quelqu'un qui l'ait vu.

Spade se mit à rouler une cigarette.

— Non, dit-il doucement, pour moi c'est du tout neuf !

— Tu parles ! grogna Tom.

— Où avez-vous ramassé tous ces tuyaux sur Thursby ? interrogea Spade avec un grand sourire.

— Le dossier, et le reste, par-ci par-là.

— Cairo, par exemple ?

C'étaient les yeux de Spade qui, maintenant, scrutaient le visage de Polhaus.

Le policier posa sa tasse de café et secoua la tête.

— Pas une broque, dit-il. Tu l'avais trop bien chapitré.

Spade se mit à rire.

— Tu ne vas pas me raconter que deux flics de haute volée, comme Dundy et toi, n'ont pas forcé ce brin de muguet à se mettre à table après une nuit de boulot.

— Une nuit ? protesta Tom ; on l'a cuisiné pendant deux heures à peine ; on a compris qu'il ne l'ouvrirait pas et on l'a vidé.

Spade se mit de nouveau à rire, regarda sa montre et demanda l'addition.

— Je dois voir le D. A. cet après-midi, dit-il à Polhaus, tandis qu'il attendait la monnaie.

— Il t'a convoqué ?

— Oui.

Polhaus repoussa sa chaise et se leva, épais, solide et flegmatique.

— Tu me rendrais un foutu service, Sam, dit-il, si tu lui disais que je t'ai raconté tout ça.

*

Un jeune échalas aux oreilles décollées introduisit Spade dans le bureau du magistrat. Le détective entra avec aisance.

— Hello, Bryan ! dit-il en souriant.

Le district attorney se leva et lui tendit la main par-dessus son bureau. Il était blond, de taille moyenne, quarante-cinq ans environ, avec des yeux bleus agressifs derrière un lorgnon à ruban noir. Il avait une grande bouche d'orateur, bien dessinée, et un menton carré creusé d'une fossette.

— Comment allez-vous, Spade? dit-il d'une voix qui vibrait d'une puissance contenue.

Ils échangèrent une poignée de main et s'assirent.

Le D. A. pressa du doigt un bouton sur son bureau et dit à l'échalas qui ouvrit la porte :

— Demandez à M. Thomas et à Healy de venir.

Puis il se renversa dans son fauteuil.

— Vous m'avez l'air d'avoir des accrochages avec la police, ces jours-ci, Spade, dit-il aimablement.

Spade fit de la main droite un geste d'indifférence.

— Rien de sérieux, dit-il. C'est Dundy qui s'excite.

La porte s'ouvrit et deux hommes entrèrent.

— Hello, Thomas! dit Spade au premier, un homme solide et bronzé, d'une trentaine d'années, à la chevelure hirsute, vêtu avec une négligence étudiée.

Thomas donna une claque sur l'épaule de Spade, dit : « Ça va? » et s'assit auprès du détective.

L'autre homme était plus jeune et blafard. Il s'assit un peu à l'écart et posa sur son genou un bloc de papier blanc. Il tenait un crayon vert dans la main droite.

Spade le regarda, éclata de rire et demanda à Bryan :

— Tout ce que je vais dire pourra être retenu contre moi, n'est-ce pas?

— C'est une excellente formule, dit le district attorney avec un sourire.

Il ôta son lorgnon, l'examina, puis le replaça sur son nez et regarda Spade.

— Qui a tué Thursby?

— Je ne sais pas.

Bryan roula le cordon noir de son lorgnon entre son pouce et son index et dit sentencieusement :

— Vous pourriez deviner, nous dire votre idée?

— Peut-être, mais je ne veux pas.

Le district attorney, surpris, leva les sourcils.

— Je ne veux pas, répéta Spade très calme. Ma supposition pourrait être juste ou fausse. Mme Spade mère n'a pas élevé des lardons assez naïfs pour jouer aux devinettes devant un district attorney, son assistant et un sténographe.

— Pourquoi, si vous n'avez rien à dissimuler ?

— Tout le monde a quelque chose à cacher, dit Spade tranquillement.

— Et vous...

— Mes devinettes, par exemple, coupa Spade.

Le D.A. regarda son bureau, puis leva les yeux sur Spade. Il assujettit plus fermement son lorgon :

— Si vous préférez, je peux renvoyer le sténographe. C'est uniquement pour des raisons de commodité que je l'ai fait venir.

— Je m'en fous éperdument, répondit Spade. On peut prendre note de tout de ce que je dis et je suis prêt à le signer.

— Nous n'avons pas l'intention de vous faire signer quoi que ce soit, assura Bryan. Ne considérez pas notre conversation comme un interrogatoire officiel et, surtout, ne pensez pas que je prête la moindre foi aux théories échafaudées par la police.

— Non ?

— Pas une parcelle.

— Tant mieux, soupira Spade, qui croisa les jambes et tira son tabac et son papier de sa poche. Quelle est votre théorie ?

Bryan se pencha en avant, les yeux aussi brillants que les verres de son lorgon.

— Dites-moi pour le compte de qui Archer filait Thursby, déclara-t-il, et je vous dirai qui a tué Thursby.

Spade eut un rire bref et désapprobateur.

— Vous n'êtes pas plus fort que Dundy, murmura-t-il.

— Ne vous méprenez pas, Spade, reprit Bryan, frappant

le bureau de ses phalanges repliées. Je ne dis pas que votre
client ait tué ou fait tuer Thursby, mais je soutiens que,
connaissant l'identité de votre client, j'aurai vite découvert
le meurtrier de Thursby.

Spade alluma sa cigarette, l'ôta de ses lèvres et rejeta une
bouffée de fumée.

— Je ne pige pas très bien, dit-il d'un air intrigué.

— Non ? Et si je vous demandais où est Dixie Monahan ?

Le visage de Spade garda le même air de surprise.

— Ça ne servirait pas à grand-chose. Je ne pige toujours
pas.

Le district attorney ôta son lorgnon et le tint au bout des
doigts, l'agitant comme pour scander ses paroles :

— Nous savons que Thursby était garde du corps de
Monahan et qu'il l'a suivi quand Monahan a jugé prudent
de quitter Chicago. Nous savons que Monahan a filé avec
deux cent mille dollars de paris qu'on lui avait confiés.
Nous ne savons pas — pas encore — quels étaient les
pigeons.

Il remit son lorgnon et sourit.

— Mais nous savons tous, ajouta-t-il, ce qui attend un
joueur qui lève le pied dans de telles conditions, ou son
garde du corps quand les créanciers les retrouvent. Ça s'est
déjà produit.

Spade passa l'extrémité de sa langue sur ses lèvres qu'il
retroussa en un vilain sourire. Ses yeux brillaient entre ses
paupières à demi fermées. Son cou avait rougi au-dessus du
col blanc.

— Alors, dit-il, d'une voix contenue, vous pensez que je
l'ai tué, au nom de ses créanciers ? Ou bien que j'étais
chargé par eux de le retrouver ?

— Non, non ! protesta le district attorney, vous ne
comprenez pas ce que je veux dire.

— Dieu merci ! soupira Spade.

— Il n'a pas voulu dire ça, intervint Thomas.

— Alors, quoi ?

Bryan leva la main.

— Je voulais seulement dire que vous auriez pu être mêlé à l'affaire sans savoir de quoi il s'agissait.

— Je comprends, ricana Spade, vous ne me considérez pas comme un salaud, mais comme une gourde !

— Sottise ! insista Bryan. Supposez que quelqu'un soit venu vous demander de retrouver Monahan en vous disant qu'il avait des raisons de croire qu'il était en ville et vous ait raconté une histoire complètement fausse — une douzaine ou plus pouvaient faire l'affaire —, comme par exemple qu'il s'agissait d'un débiteur en fuite sans vous donner de détails précis. Comment pouviez-vous savoir de quoi il s'agissait ? Que ça n'était pas une enquête ordinaire ? Dans ces conditions, vous ne pouvez encourir aucune responsabilité, sauf (la voix de Bryan se fit plus sèche et scanda les mots) si vous vous rendez complice en ne révélant pas l'identité du meurtrier ou tout autre renseignement pouvant conduire à son arrestation.

La colère qui avait envahi le visage de Spade s'apaisa soudain.

— C'est donc là que vous voulez en venir ? demanda-t-il.

— Exactement.

— Ça va. Je ne vous en veux pas, mais vous vous fourrez le doigt dans l'œil.

— Prouvez-le.

— Je ne peux rien prouver maintenant, déclara Spade, mais je peux vous dire une bonne chose.

— Allez-y.

— Personne ne m'a jamais engagé pour m'occuper de Dixie Monahan.

Bryan et Thomas échangèrent un regard.

— Mais vous reconnaissez que quelqu'un vous a demandé de surveiller son garde du corps, Thursby.

— Oui, son ex-garde du corps, Thursby.

— Ex ?

— Oui, ex.

— Vous savez que Thursby n'était plus avec Monahan ?
Vous le savez positivement ?

Spade jeta le bout de sa cigarette dans un cendrier, sur le
bureau.

— Je ne sais rien de positif, dit-il d'un ton calme, sinon
que mon client ne s'intéressait pas à Monahan, ne s'était
jamais intéressé à Monahan. J'ai, d'ailleurs, entendu dire
que Thursby avait accompagné Monahan en Extrême-
Orient, et que là, il l'avait... perdu.

De nouveau le district attorney et son assistant échangèrent un regard.

— Ceci éclaire un autre aspect de la question, dit
Thomas avec une négligence affectée. Les amis de Monahan
peuvent avoir descendu Thursby parce qu'il avait liquidé
son patron.

— Les joueurs morts n'ont pas d'amis, dit Spade.

— Ceci nous fournit deux nouvelles hypothèses, déclara
Bryan, les yeux au plafond.

Il se redressa soudain, le visage éclairé, la voix nette.

— Résumons-nous, dit-il. *Primo* : Thursby a été tué par
les joueurs que Monahan a laissés en plan à Chicago.
Ignorant ou doutant que Thursby ait tué son patron, ils
l'ont assassiné parce qu'il avait été le garde du corps de
Monahan, ou pour se débarrasser de lui afin de pouvoir
mettre le grappin sur Monahan, ou peut-être parce qu'il
avait refusé de révéler où était Dixie. *Secundo* : il a été tué
par les copains de Monahan. *Tertio* : il a livré Monahan à
ses ennemis, puis il s'est fâché avec eux et ils l'ont éliminé.

— Ou, *quarto*, suggéra Spade en souriant, il est mort de
vieillesse. J'espère que vous ne parlez pas sérieusement ?

Les deux magistrats regardèrent Spade sans rien dire.
Celui-ci sourit et les considéra tour à tour en secouant la
tête d'un air de pitié.

— Sherlock Holmes était un petit amateur à côté de
vous, dit-il.

Bryan frappa du dos de sa main gauche la paume de sa main droite.

— L'une de ces trois théories est la bonne! affirma-t-il. Sa voix n'était plus voilée. Sa main droite fermée, à l'exception de l'index pointé, se déplaçait de haut en bas, puis l'index s'arrêta à la hauteur de la poitrine de Spade.

— Et, dit Bryan, vous pouvez nous fournir les renseignements qui nous permettront de choisir.

— Oui? dit Spade mollement.

Son visage s'était assombri. Il toucha sa lèvre inférieure du bout de son index, regarda son doigt, puis se gratta la nuque. De légers sillons irrités se creusaient sur son front.

— Vous ne voudriez pas des renseignements que je pourrais vous donner, Bryan, dit-il d'une voix sourde. Vous ne pourriez pas les utiliser, car ils flanqueraient en l'air votre beau scénario.

Bryan bomba la poitrine.

— Vous n'en êtes pas juge, dit-il d'une voix dure et sèche. Que j'aie tort ou raison, je n'en suis pas moins district attorney.

— Je croyais qu'il s'agissait d'une conversation officieuse? dit Spade en ricanant.

— Je suis au service de la Loi, vingt-quatre heures sur vingt-quatre, déclara Bryan. Rien d'officieux ni d'officiel ne vous autorise à cacher la vérité à la justice, excepté, bien entendu (il hocha la tête d'un air significatif) dans certains cas prévus par la loi.

— Vous voulez dire, si elle pouvait amener mon inculpation? demanda Spade, d'une voix tranquille, presque amusée, qui démentait son expression.

» Eh bien! poursuivit-il, il s'agit d'un autre cas. Mes clients ont le droit d'exiger le secret. Bien entendu, je peux être obligé de parler devant le jury, ou même devant le coroner quand il procédera à son enquête officielle, mais je n'ai pas encore été cité à comparaître ni par l'un ni par l'autre et je vous fiche mon billet que je ne raconterai pas les histoires de mes clients si je peux l'éviter. D'autre part, vous et la police m'avez accusé d'être mêlé aux crimes commis l'autre nuit. J'ai déjà eu des pépins avec eux et avec vous. Pour autant que je puisse en juger, je n'ai qu'une façon de m'en tirer, c'est de vous livrer les meurtriers pieds et poings liés. Et ma seule chance de les pincer, c'est de vous fuir, vous et la police, car aucun de vous n'a l'air de piger le premier mot de cette affaire.

Il se leva et, par-dessus son épaule, tourna la tête vers le sténographe.

— Tu as tout pris, mon petit gars, dit-il, ou est-ce que j'ai parlé trop vite ?

Le sténographe le regarda d'un air ahuri.

— Non, monsieur, j'ai tout pris, répondit-il.

— Bon boulot, dit Spade, se retournant vers Bryan. Et maintenant, déclara-t-il, si vous voulez déposer une plainte devant le Conseil d'enquête, sous prétexte que je ralentis l'action judiciaire, et lui demander de me retirer ma licence, vous êtes libre. Vous avez déjà essayé et on vous a rigolé au nez.

Il prit son chapeau.

— Mais enfin..., commença Bryan.

— Et, coupa Spade, j'en ai plein le dos de ces entretiens officieux. Je n'ai rien à vous dire, pas plus qu'à la police. J'en ai ma claque d'être interrogé par tous les timbrés qui émargent au budget municipal. Quand vous voudrez me voir, arrêtez-moi ou citez-moi régulièrement. Je viendrai avec mon avocat.

Il enfonça son chapeau sur sa tête.

— Au revoir, je vous reverrai à l'enquête, sans doute.

Et il sortit.

XVI

LE TROISIÈME ASSASSINAT

Spade entra à l'hôtel Sutter pour téléphoner à l'Alexandria ; Gutman et sa suite étaient absents. Il appela ensuite le Belvedere ; Cairo n'y était pas. On ne l'avait pas vu depuis la veille.

Alors, Spade se rendit à son bureau.

Un homme au teint basané, vêtu avec élégance, attendait dans la salle de réception. Effie Perine, désignant le nouveau venu du geste, dit :

— Ce monsieur voudrait vous voir, monsieur Spade.

Le détective sourit, s'inclina et ouvrit la porte de son bureau personnel.

— Entrez, dit-il ; puis se tournant vers Effie :

» Pas de nouvelles de l'autre affaire ?

— Non, monsieur.

Le visiteur était propriétaire d'un cinéma de Market Street. Il soupçonnait son caissier de le voler, d'accord avec l'un des contrôleurs. Spade l'écouta, promit de s'occuper de l'affaire, demanda — et reçut — cinquante dollars, et se débarrassa de lui en moins d'une demi-heure.

Aussitôt que la porte du couloir se fut refermée derrière le client, Effie Perine entra dans le bureau de Spade. Son visage bronzé exprimait son inquiétude.

— Tu ne l'as pas encore retrouvée ? demanda-t-elle d'une voix soucieuse.

Il secoua la tête et continua de caresser lentement, du bout des doigts, en traçant des cercles légers, sa tempe endolorie.

— Comment ça va ? demanda Effie.

— Pas mal, mais j'ai encore bougrement mal au crâne.

Elle passa derrière lui, lui prit la main, l'abaissa et caressa légèrement la tempe de ses doigts fuselés. Il se pencha en arrière et sa tête vint s'appuyer sur la poitrine de la jeune fille.

— Tu es un ange! murmura-t-il.

Elle baissa la tête pour le regarder dans les yeux.

— Il faut la retrouver, Sam, dit-elle. Voilà plus d'un jour que...

Il s'agita impatiemment et l'interrompit.

— Il faut? Si je pouvais seulement me reposer une minute avant d'aller lui courir après.

— Pauvre caboche! murmura-t-elle, en lui caressant la tempe.

» Sais-tu où elle est? demanda-t-elle après un silence. Tu as une idée?

Le téléphone sonna. Spade prit l'appareil.

— Allô?... Oui, Sid, tout s'est bien passé, merci... Non... Il s'est un peu énervé, moi aussi... Il s'est embarqué dans une histoire de gangsters à dormir debout... Euh? à vrai dire, on ne s'est pas embrassés en se quittant. J'ai vidé mon sac et je l'ai planté là... Quoi? Ah! non! c'est toi que ça regarde. Entendu, au revoir.

Il raccrocha et se carra dans son fauteuil. Effie Perine était debout à côté de lui.

— Crois-tu savoir où elle est, Sam? demanda-t-elle.

— Je sais où elle est allée, admit-il de mauvaise grâce.

— Où? interrogea-t-elle avidement.

— A bord du bateau que tu as vu brûler.

Elle fit de grands yeux.

— Tu y es allé, dit-elle d'un ton qui n'interrogeait pas.

— Non.

— Sam, s'écria-t-elle avec colère, on l'a peut-être...

— Elle y est allée d'elle-même, coupa-t-il d'une voix aigre. On ne l'a pas enlevée. Elle y est allée au lieu de se rendre chez toi, dès qu'elle a su que le bateau était arrivé.

Et puis merde! Crois-tu que je doive courir après mes clients et les supplier de me permettre de les aider?

— Ecoute, Sam, quand est-ce que je t'ai dit que le bateau brûlait?

— C'était à midi et j'avais rendez-vous avec Polhaus et Bryan.

Les yeux mi-clos, elle le regarda fixement.

— Sam Spade, tu es le plus beau salaud de la création — quand tu veux t'en donner la peine. Parce qu'elle a agi sans te consulter, tu restes là sans bouger, alors que tu sais qu'elle est en danger, qu'elle pourrait être...

Sam rougit.

— Elle est bien assez grande pour se tirer d'affaire toute seule et elle sait où me trouver si l'envie lui prend de se faire aider, fit-il d'un ton obstiné.

— Tu es vexé, tout simplement, s'exclama Effie. Tu marronnes parce qu'elle a agi seule, sans rien te dire. Pourquoi pas? Tu n'es pas tellement honnête, tu n'as pas été si régulier que ça avec elle pour qu'elle te fasse entièrement confiance.

— La ferme! dit Spade.

Une lueur de crainte, vite dissipée, brilla dans les yeux d'Effie. Elle pinça les lèvres et dit d'une voix décidée:

— Si tu n'y vas pas tout de suite, Sam, j'y vais et je traîne les flics là-bas.

Sa voix chevrota et se brisa soudain.

— Oh! Sam, vas-y! gémit-elle.

Il se leva en jurant.

— Bon Dieu! dit-il, ça vaudra toujours mieux pour mon crâne que de rester là à t'écouter miauler.

Il regarda sa montre.

— Tu peux fermer et rentrer chez toi, dit-il.

— Non. J'attendrai ici que tu reviennes.

— Comme tu voudras! grogna-t-il, prenant son chapeau.

Il le mit sur sa tête, fit une grimace de douleur, l'ôta et sortit en le tenant à la main.

*

Une heure et demie plus tard, à cinq heures vingt, Spade
revint rayonnant.

— Pourquoi as-tu ce caractère exécrable, chérie? dit-il.

— Moi?

— Oui, toi.

Il posa son index sur le bout du nez d'Effie Perine. Puis il
la prit aux coudes, la souleva et l'embrassa sur le menton.

— Rien de nouveau? demanda-t-il après qu'il l'eut repo-
sée par terre.

— Luke, le type du Belvedere, a appelé pour te dire que
Cairo était rentré. Il y a une demi-heure de ça.

Spade ouvrit la bouche, se ravisa, tourna sur ses talons et
se dirigea à grands pas vers la porte.

— Tu l'as retrouvée? demanda Effie.

— Je te raconterai ça tout à l'heure, dit-il sans se
retourner.

Un taxi le déposa au Belvedere, dix minutes après. Luke
était dans le hall. Il vint à la rencontre de Spade avec le
sourire et en secouant la tête.

— Un quart d'heure trop tard! dit-il. L'oiseau s'est
envolé.

Spade poussa un juron.

— Parti, avec armes et bagages, dit Luke. (Il tira un
carnet de sa poche, humecta son pouce pour le feuilleter et
le tendit ouvert à Spade.) Voilà le numéro du taxi qui l'a
emmené. J'ai au moins ça pour toi.

— Merci, dit Spade qui nota le numéro au dos d'une
enveloppe. Pas d'adresse où faire suivre son courrier?

— Non. Il est arrivé avec une grande valise et redescendu
presque tout de suite avec ses bagages, il a payé sa note et
pris un taxi. On n'a pas entendu l'adresse qu'il donnait au
chauffeur.

— Et sa malle ?

— Nom de Dieu ! dit Luke d'un air penaud, c'est vrai. Je l'avais oubliée. Allons-y.

La malle était dans la chambre de Cairo, le couvercle baissé, mais elle n'était pas fermée à clé. Ils soulevèrent le couvercle : la malle était vide.

— Tu te rends compte ! dit Luke.

Spade ne fit pas de commentaires.

Il retourna à son bureau. Effie Perine l'interrogea du regard.

— Je l'ai loupé, grogna Spade, passant dans l'autre pièce.

Elle le suivit. Il s'installa dans son fauteuil tournant et roula une cigarette. Elle s'assit sur le bureau, le bout des pieds appuyé sur un coin du siège du fauteuil de bois.

— Et Miss O'Shaughnessy ? demanda-t-elle.

— Je l'ai loupée aussi, dit-il, mais elle y est allée.

— Sur le *La Paloma* ?

— Le *La Paloma* la fout plutôt mal.

— Tais-toi, chameau, raconte.

Il alluma sa cigarette et rempocha son briquet.

— Oui, sur *La Paloma*, répondit-il en lui caressant les tibias. Elle y est allée hier, un peu après midi, sans doute aussitôt après avoir renvoyé son taxi au Ferry Building. Ce n'est pas loin de là. Le capitaine n'était pas à bord. Il s'appelle Jacobi. Elle l'a demandé par son nom. Il était en ville. Donc il ne l'attendait pas, ou du moins pas à cette heure-là. Elle a poireauté jusqu'à ce qu'il revienne, à quatre heures. Ils sont restés ensemble jusqu'au dîner et elle a mangé avec lui, dans sa cabine.

Il aspira une bouffé de fumée, la renvoya lentement et détourna la tête pour cracher un brin de tabac.

— Après le dîner, reprit-il, le capitaine a reçu trois nouveaux visiteurs : Gutman, Cairo et le morveux qui est venu ici de la part de Gutman. Ils sont arrivés ensemble.

Brigid était encore là. Ils ont palabré tous les cinq, dans la cabine du capitaine. Je n'ai pas réussi à tirer grand-chose de l'équipage, mais j'ai appris tout de même qu'une bagarre avait éclaté et que, vers onze heures, on avait entendu un coup de pétard venant de la cabine. Le type de garde s'est précipité, mais le capitaine est sorti, disant que ce n'était rien. Le projectile a percé la cloison, assez haut pour laisser croire que personne n'a été touché. Il n'y a pas eu d'autre fusillade, autant que j'aie pu savoir, mais je n'en ai pas appris lourd.

Il fronça les sourcils, tira une bouffée de sa cigarette et poursuivit :

— Bref, ils se sont barrés tous les cinq, vers minuit ; aucun n'avait l'air à la traîne. C'est le marin de garde qui m'a renseigné. Je n'ai pas pu voir les douaniers qui étaient de service à cette heure-là. C'est tout. Le capitaine n'est pas revenu à bord. Il avait ce matin, avec un armateur, un rendez-vous auquel il n'est pas allé, et on n'a pas encore pu le prévenir que son rafiot avait pris feu.

— Et l'incendie ? demanda-t-elle.

— Je ne sais pas, dit-il, haussant les épaules. On l'a découvert dans la cale arrière, tard ce matin. Il a pu commencer hier soir. Il est éteint, mais il y a pas mal de dégâts. L'équipage ne veut rien dire en l'absence du capitaine, c'est...

La porte du couloir s'ouvrit. Spade se tut. Effie Perine sauta à bas du bureau, mais un homme poussait déjà la porte séparant les deux pièces.

— Où est Spade ? demanda-t-il.

Sa voix fit sursauter le détective. Elle était rauque, angoissée et entrecoupée par un gargouillement entre chaque syllabe.

Effie Perine, effrayée, s'écarta de son chemin. Il s'arrêta dans le cadre de la porte. Son chapeau mou était écrasé par le linteau : le type avait bien deux mètres. Un pardessus noir très long et étriqué sous lequel saillaient ses épaules anguleuses, boutonné du col aux genoux l'enveloppait comme un fourreau, accentuant sa maigreur. Son visage décharné, sillonné de rides, tanné, était de la couleur du sable humide et mouillé de sueur aux joues et au menton. Ses yeux étaient sombres, injectés de sang, affolés. Les paupières inférieures affaissées montraient la muqueuse intérieure, rose pâle. Serré contre son flanc gauche par une manche noire d'où émergeait une serre jaunâtre, un paquet enveloppé de papier brun, lié d'une ficelle, qui avait la forme d'un gros ballon de rugby.

Le géant ne paraissait pas avoir vu Spade. Il dit : « Vous savez... » et le liquide qui gargouillait dans sa gorge monta, submergeant ses paroles. Il plaça sa main droite sur l'autre, qui étreignait le paquet et, très droit, sans chercher à amortir la chute en tendant les bras, il tomba en avant comme un arbre.

Spade, le visage figé, bondit et reçut l'homme dans ses bras. Le géant ouvrit la bouche : il en sortit un filet de sang. Le paquet roula sur le parquet et s'arrêta contre un pied du bureau. Brusquement, l'inconnu, les genoux pliés, mollit, s'affaissa, inerte et lourd dans son fourreau de drap noir, sur les bras de Spade incapable de le soutenir.

Le détective l'allongea doucement sur le parquet, sur le côté gauche. L'homme avait les yeux grands ouverts et fixes. De sa bouche ouverte le sang avait cessé de couler et son long corps était aussi inerte que le plancher sur lequel il reposait.

— Boucle la porte ! dit Spade.

Tandis qu'Effie Perine, claquant des dents, fermait en tremblant la porte du couloir, Spade agenouillé près de l'homme, le retournait sur le dos, et glissait sa main à l'intérieur du pardessus. Il la retira couverte de sang, sans émotion, la tenant en l'air pour ne rien toucher, de l'autre main, il tira son briquet de sa poche, l'alluma et passa la

flamme contre les yeux du géant. Paupières, globes, iris,
pupilles, restèrent figés, morts.

Spade éteignit son briquet et le remit dans sa poche. Puis,
sur les genoux, il fit le tour du cadavre, déboutonnant le
pardessus de sa main propre. L'intérieur était gluant de
sang comme le veston croisé, de serge bleue. Les revers du
veston et les deux côtés du pardessus étaient percés de
trous.

Spade se leva et se dirigea vers le lavabo.

Effie, pâle et tremblante, adossée à la porte, la main sur
le bouton, chuchota :

— Il... il est...

— Oui. Une écumoire. Cinq ou six pruneaux dans le
coffre.

Spade commença à se laver les mains.

— Est-ce qu'il faut ?... dit-elle.

— Trop tard pour un médecin, coupa-t-il, et il faut que je
réfléchisse avant de faire quoi que ce soit. Il n'est pas venu
de bien loin avec tout ce plomb dans le ventre. S'il avait été
foutu de dire quelque chose au moins !

Il finit de se laver les mains et se mit à nettoyer le lavabo,
puis il se rinça encore les mains et prit une serviette.

— Hé ! fit-il, secoue-toi, nom de Dieu ! Tu ne vas pas me
dégobiller dessus.

Il jeta la serviette et passa une main dans ses cheveux.

— Allons voir le paquet ! dit-il.

Il rentra dans son bureau, enjamba le cadavre et ramassa
le paquet enveloppé de papier kraft. Quand il en sentit le
poids, ses yeux eurent un éclair. Il le plaça sur le bureau et
le retourna pour que le nœud de la ficelle se trouve sur le
dessus. Le nœud était très serré et il coupa la ficelle avec un
canif.

Effie passa près du mort en détournant la tête et vint
rejoindre Spade. Les mains posées sur le coin du bureau,
elle le regardait écarter le papier brun, et l'excitation
remplaça peu à peu sur son visage la pâleur nauséeuse.

— Crois-tu que c'est ça ? murmura-t-elle.

— On va le savoir, dit-il, ôtant de ses gros doigts une seconde enveloppe de papier gris.

Son visage était dur et immobile. Mais ses yeux brillaient.

Quand il eut écarté la triple épaisseur de papier, une masse ovoïde apparut, entourée de légers copeaux agglomérés. Il les arracha et découvrit la statuette d'un oiseau d'une trentaine de centimètres de haut, noire comme du charbon et luisante aux endroits où son vernis n'était pas terni par la sciure et les copeaux.

Spade éclata de rire et posa une main sur l'oiseau et le caressa avec une joie de propriétaire. Il enlaça Effie de l'autre bras et la serra contre lui.

— Nous le tenons enfin, ce sacré volatile ! mon chou.

— Aïe ! tu me fais mal, cria-t-elle.

Il la lâcha, prit l'oiseau noir à deux mains, le secoua pour le débarrasser des copeaux et l'éleva en reculant d'un pas, d'un air de triomphe.

Effie Perine fit une grimace horrifiée et se mit à hurler, l'index pointé vers les pieds de Spade.

Il baissa les yeux. En reculant, son talon gauche avait pincé entre le cuir et le parquet le bord de la paume de la main gauche du macchabée. Spade retira vivement son pied.

Le téléphone se mit à sonner. Sur un signe de Spade, la jeune fille se tourna vers le bureau et décrocha le récepteur.

— Allô ?... dit-elle... Oui... Qui ? (Ses yeux s'agrandirent.) Oui... oui... Ne quittez pas.

Elle ouvrit brusquement la bouche et cria :

— Allô, allô, allô !

Elle titilla le crochet et cria encore deux fois :

— Allô !

Puis elle se tourna vers Spade en étouffant un sanglot.

— C'était Miss O'Shaughnessy ! dit-elle d'une voix rauque. Elle a besoin de toi ! Elle est à l'Alexandria ; en danger !

Sa voix... Oh! Sam. Sa voix! Il lui est arrivé quelque chose avant qu'elle ait fini. Vas-y, Sam. Vite!

Spade posa le faucon sur le bureau et fronça les sourcils.

— Il faut d'abord que je m'occupe de ce zigoto, dit-il, montrant le cadavre.

Elle se précipita et lui martela la poitrine à coups de poing.

— Non, non! Il faut que tu ailles la rejoindre. Tu ne comprends donc pas? Il avait la chose qui appartient à Miss O'Shaughnessy et il est venu te l'apporter. Tu ne vois donc pas. Il l'aidait et ils l'ont tué! Et maintenant... Oh! vas-y vite!

— Ça va, dit Spade, repoussant Effie.

Il roula l'oiseau dans son enveloppe de copeaux et de papier et fit rapidement un paquet maladroit et volumineux.

— Dès que je serai parti, appelle les flics, dit-il. Raconte comment c'est arrivé, sans citer de noms. Tu ne sais rien. On m'a téléphoné, je t'ai dit que j'étais obligé de filer. Où? Tu ne sais pas. (Il s'emporta contre la ficelle qui s'était emmêlée, tira dessus et se mit à ficeler le paquet.) Oublie l'oiseau! dis tout, mais ne parle pas du paquet (il se mordilla la lèvre inférieure) excepté s'ils ont l'air d'être au courant, mais ça m'épaterait. S'ils savent, j'ai emporté le paquet sans l'ouvrir.

Il noua la ficelle et se redressa en glissant le paquet sous son bras gauche.

— Tu y es, oui? Tout s'est passé comme tu l'as vu, mais sans paquet — sauf si la police le sait. Ne nie pas. N'en parle pas. C'est à *moi* qu'on a téléphoné. Tu ne connais personne qui touchait à ce gars-là, de loin ni de près. Tu ne peux parler de mes affaires en mon absence. Vu?

— Oui, Sam. Qui est-ce?

— Je crois bien que c'est le capitaine Jacobi, commandant *La Paloma*, dit-il en ricanant.

Il prit son chapeau, regarda le cadavre d'un air pensif, puis parcourut la pièce des yeux.

— Vite, Sam ! supplia-t-elle.

— Oui, dit-il, distrait. Ça ne ferait pas de mal de balayer ces copeaux qui traînent par terre avant l'arrivée de la police. Puis tu pourrais téléphoner à Sid ? Après tout, non.

Il se frotta le menton.

— Non, répéta-t-il, on ne va pas encore le mettre dans le coup. Ça vaudra mieux. Ferme la porte jusqu'à ce qu'ils s'amènent.

Il caressa la joue d'Effie.

— Tu es un sacré petit bonhomme, poupée, dit-il.

Et il sortit.

XVII

SAMEDI SOIR

Spade, le paquet sous le bras, marchait d'un bon pas. Seule l'extrême mobilité de son regard révélait sa préoccupation. Il sortit de l'immeuble par la porte de service et gagna Post Street par une ruelle. Là, il attrapa un taxi et se fit mener à la gare de Pickwick dans la cinquième rue, où il déposa l'oiseau à la consigne. Il plaça le bulletin dans une enveloppe, écrivit l'adresse : *M. F. Holland, Boîte Postale 52, San Francisco*, cacheta l'enveloppe et la glissa dans une boîte à lettres. Un autre taxi le transporta à l'Alexandria Hotel.

Spade monta jusqu'au *12C* et frappa. La porte fut ouverte, après quelques secondes, par une petite blonde, en robe de chambre jaune citron — une gamine très pâle qui se cramponnait des deux mains au bouton de la porte.

— Monsieur Spade ? demanda-t-elle haletante

— Oui, fit-il en l'attrapant au vol.

Elle bascula au creux de son bras, sa tête se renversa en arrière, entraînant ses courts cheveux blonds. Du menton à la poitrine, sa gorge frêle dessinait une courbe très pure.

Spade glissa son bras droit plus haut et se pencha pour lui passer son bras gauche sous les genoux, mais elle résista et murmura sans presque remuer les lèvres :

— ... aites ...oi ...archer...

Spade la força à marcher. Il ferma la porte d'un coup de pied et soutint la jeune fille debout sur le tapis vert la poussant d'un mur à l'autre. Un bras autour de la poitrine, la main sous l'aisselle, il la tenait de l'autre main, par le bras, la soutenant quand ses jambes pliaient. Ils arpentaient la pièce ; Spade, solide, sur la pointe des pieds ; elle, chancelante. Elle avait le visage crayeux et les yeux vides ; il avait l'air sombre, le regard durci.

Il lui parlait, d'une voix monotone :

— C'est ça. Gauche, droit, gauche, droit. C'est ça. Un, deux, trois, quatre, un, deux, trois, quatre, un, deux, trois, maintenant on retourne.

Il la secoua pour lui faire faire demi-tour :

— On recommence. Un, deux, trois, quatre. Levez la tête. Voilà. Bien. Gauche, droit, gauche, droit. Maintenant demi-tour. (Il la secoua encore, plus rudement et accéléra la cadence.) C'est ça. Gauche, droit, gauche, droit. Plus vite. Un, deux, trois...

Elle frissonna et déglutit. Spade se mit à lui frictionner le bras et approcha sa bouche de son oreille :

— Epatant. Très bien. Un, deux, trois, quatre. Plus vite, plus vite, plus vite. C'est ça. Marchez, marchez, marchez. Levez les pieds, reposez-les. C'est ça. Demi-tour. Gauche, droit, gauche, droit. Qu'est-ce qu'ils vous ont fait... droguée ? Le même truc qu'ils m'ont donné à moi ?

Les paupières de la jeune fille battirent un instant sur ses yeux mordorés au regard hébété et elle réussit à prononcer « oui » faiblement.

Ils continuèrent à arpenter la pièce, la jeune fille courant presque à présent pour rester à la hauteur de Spade qui lui donnait des claques dans le dos sans cesser de parler, le regard toujours dur et vigilant :

— Gauche, droit, gauche, droit, gauche, droit, demi-tour. Bien. Un, deux, trois, quatre, un, deux, trois, quatre. Redressez le menton. Voilà. Un, deux...

Elle souleva encore les paupières de quelques millimètres et son regard parut s'animer un tantinet.

— Epatant, fit Spade d'un ton vif. Gardez les yeux ouverts. Ouvrez-les tout grands, grands !

Il la secoua. Elle poussa un gémissement mais souleva un peu plus les paupières. Il la gifla rapidement cinq ou six fois. Elle gémit et tenta de s'échapper. Il la poussa en avant.

— Marchez, dit-il d'une voix dure. Qui êtes-vous ?

Elle réussit à articuler :

— Rhea Gutman.

— La fille ?

— Oui.

— Où est Brigid ?

Elle s'arrêta et prit une des mains de Spade dans les siennes. Il retira vivement sa main et l'examina. Elle portait une griffe d'au moins quatre centimètres de long où perlait le sang.

— Mais, bon Dieu... fit-il en regardant les mains de la jeune fille.

Il les ouvrit. La gauche était vide. Elle tenait dans la droite une épingle à tête de jade.

— Ça alors ! grogna-t-il, plaçant l'épingle devant les yeux de Rhea.

Elle ouvrit sa robe de chambre et la veste de son pyjama. Sous le sein gauche des égratignures zébraient sa peau blanche, soulignées de points rouges.

— Pour... rester... éveillée... Elle avait dit... vous viendrez... si long.

Elle vacilla.

— Marchez ! dit Spade la soutenant de nouveau.

— Non, non, fit-elle en se débattant. Vous dire... dormir... sauvez-la.

— Brigid ? demanda-t-il.

— Oui... Emmenée... Bur... Burlingame... Vingt-six... Ancho... vite... trop tard.

Sa tête retomba sur son épaule.

Spade la releva rudement.

— Qui l'a emmenée ? Votre père ?

— Oui... Wilmer... Cairo... (Elle eut une crispation et ses paupières frémirent, mais ne s'ouvrirent pas.) la tuer.

Sa tête retomba.

Il la releva de nouveau.

— Qui a tué Jacobi ?

Elle ne parut pas entendre la question, elle essayait misérablement de lever la tête et d'ouvrir les yeux.

— Allez... elle...

Spade la secoua brutalement.

— Restez éveillée jusqu'à ce que j'envoie un médecin.

La peur lui fit ouvrir les yeux et son visage s'anima l'espace d'un instant.

— Non, dit-elle d'une voix pâteuse... Père... me tuer... jurez que non... il saurait... j'ai fait... pour elle... promis... bien demain matin.

— Etes-vous sûre que ça passera en dormant ?

— Oui.

Sa tête se renversa de nouveau.

— Où est votre lit ?

Elle tenta de lever une main inerte qui retomba mollement sans rien montrer que le tapis. Avec un soupir d'enfant elle s'affaissa dans les bras de Spade.

Il la souleva et, la tenant serrée contre sa poitrine, il marcha vers la plus proche des trois portes, tourna péniblement le bouton, poussa le battant du pied et pénétra dans un couloir. A droite, une salle de bains ouverte, vide, puis une chambre, également vide. Des vêtements d'hommes étaient posés sur une chaise.

Spade revint sur ses pas, traversa de nouveau le salon et ouvrit une autre porte. Elle donnait aussi sur un couloir. Il s'y engagea, passa devant une autre salle de bains vide et entra dans une chambre qui était visiblement occupée par une femme. Il rabattit les couvertures, allongea Rhea sur le lit, lui ôta ses mules, sa robe de chambre, glissa un oreiller sous sa tête et la borda dans son lit.

Puis il ouvrit les deux fenêtres, leur tourna le dos et regarda Rhea endormie. Elle respirait lourdement, mais régulièrement. Le crépuscule envahissait la pièce. Il resta planté là quelques minutes, puis haussa les épaules d'un air impatient et sortit sans fermer la porte à clé.

D'une cabine téléphonique du bureau de poste de Powell Street, il appela Davenport 2020.

— Allô, poste de secours? Il y a à l'Alexandria Hotel, appartement *12C*, une jeune fille qui a été droguée... Oui, envoyez quelqu'un immédiatement... Oui, ici M. Hooper de l'Alexandria.

Il raccrocha, éclata de rire, puis demanda un second numéro.

— Allô! Frank? Ici, Sam Spade... Peux-tu me procurer une bagnole avec un chauffeur discret?... Quelque part vers le Sud de la presqu'île... Une ou deux heures... Bien... Qu'il vienne me prendre au restaurant John, Ellis Street, dès qu'il sera prêt.

Il appela un troisième numéro — celui de son bureau — tint le récepteur contre son oreille, pendant une demi-minute, sans parler, puis raccrocha.

Il entra chez John, il demanda au garçon de lui servir rapidement une côtelette, des patates et une salade de tomates.

Il fumait une cigarette en avalant son café, quand un petit gars trapu, en casquette, avec des yeux pâles et une bonne gueule énergique, entra dans la salle, se renseigna et s'approcha de sa table.

— Je suis prêt, monsieur Spade, j'ai fait le plein et tout est paré, dit-il.

— Bien. (Spade vida sa tasse et sortit avec le chauffeur.) Connaissez-vous Ancho Street, ou Ancho Avenue, ou Boulevard, à Burlingame ? demanda-t-il.

— Non, mais si elle y est, on la trouvera.

— Allons-y, dit Spade, s'asseyant près du chauffeur dans la Cadillac. Nous allons au 26, le plus vite possible, mais on ne s'arrête pas devant la maison.

— Compris.

Ils roulèrent pendant quelques minutes en silence.

— Votre associé s'est fait descendre, hein, monsieur Spade ? dit le chauffeur.

Spade émit un vague grognement.

— Sale boulot, poursuivit le jeune homme. Je donnerais pas ma place pour la vôtre.

— Les chauffeurs y restent aussi, dit Spade.

— Ça se peut, mais j'en reviendrais pas si j'y passais.

Spade ne répondit plus que par monosyllabes, et le chauffeur, las de soutenir la conversation tout seul, finit par la boucler.

*

Dans une pharmacie de Burlingame, le chauffeur se renseigna et, dix minutes plus tard, il arrêtait sa voiture au coin d'une ruelle sombre, éteignait ses phares et désignait de la main le pâté de maisons devant lui.

— Ça doit être la troisième ou la quatrième, de l'autre côté.

— Ça va, dit Spade qui descendit. N'arrêtez pas le moulin, on aura peut-être besoin de se barrer en vitesse.

Il traversa. Un réverbère lointain et solitaire éclairait faiblement la rue déserte. Les fenêtres des maisons espacées étaient éclairées. Une lune, mince et pâle, brillait de la même lumière froide que le réverbère. On entendait une radio par une fenêtre ouverte d'une maison sur le trottoir d'en face.

Devant la deuxième maison à partir du coin, Spade s'arrêta. Sur l'un des gros poteaux de la barrière, un 2 et un 6 de métal étaient cloués. Une pancarte était fixée au-dessus. Spade approcha plus près et lut : A VENDRE OU A LOUER. Il n'y avait pas de portillon à la barrière ; Spade suivit l'allée cimentée qui menait à la maison et s'arrêta, pendant un long moment, au pied du perron. Aucun bruit ne venait de la maison, entièrement plongée dans l'obscurité. On distinguait vaguement une autre pancarte clouée sur la porte.

Il monta les marches et écouta devant la porte vitrée. Rien. Il n'y avait pas de rideaux. Il essaya de voir à travers le panneau vitré. Noir complet. Il s'approcha sur la pointe des pieds d'une fenêtre, puis d'une autre. Tout comme la porte, elles n'avaient que l'obscurité intérieure pour tout rideau. Il essaya de les ouvrir. Elles étaient verrouillées, de même que la porte.

Il descendit du perron et, en avançant prudemment à travers les hautes herbes d'un jardin à l'abandon, il fit le tour de la maison. Les fenêtres latérales étaient trop hautes pour qu'il puisse les atteindre. Par derrière, la porte et l'unique fenêtre — qui se trouvait à sa portée — étaient verrouillées.

Spade revint à la barrière et alluma son briquet pour mieux voir la pancarte. Elle portait, imprimés, le nom et l'adresse d'un agent immobilier de San Mateo. Au bas, une ligne au crayon bleu : *La clé est au numéro 31.*

Spade retourna près de l'auto.

— Avez-vous une lampe électrique ? demanda-t-il au chauffeur.

— Oui. (Il la tendit à Spade.) Si je peux vous donner un coup de main.

— Peut-être, dit le détective, s'asseyant auprès de lui. Roulons jusqu'au 31. Vous pouvez allumer les phares.

Le 31 était un bâtiment gris et carré, un peu plus haut que le 26 sur le trottoir d'en face, dont les fenêtres du rez-de-chaussée étaient éclairées. Spade escalada le perron et sonna. Une gamine brune de quatorze ou quinze ans ouvrit la porte.

— Je voudrais la clef du 26, dit Spade avec un sourire.

— Je vais appeler papa.

Et elle rentra en criant :

— Papa.

Un petit gros, chauve et moustachu, au teint fleuri, apparut un journal à la main.

— Puis-je avoir la clé du 26 ? demanda Spade.

— Vous n'y verrez rien, dit l'homme d'un air hésitant. Y a pas d' jus.

— J'ai une lampe électrique

L'homme parut encore plus indécis. Il se racla la gorge avec embarras tout en triturant son journal. Le détective lui montra sa carte et dit, à voix basse :

— Il paraît que quelqu'un pourrait bien être planqué dans la maison.

— Alors, attendez-moi, dit le petit homme, soudain intéressé ; je vous accompagne.

L'instant d'après il revenait, tenant une clé de cuivre attachée à une étiquette rouge et noire. Spade appela le chauffeur qui vint les rejoindre.

— Y a-t-il eu récemment des visiteurs ? demanda Spade.

— Pas à ma connaissance. On m'a pas demandé la clé depuis près de deux mois.

Jusqu'au pied du perron, l'homme marcha en tête. Puis arrivé là, il marmonna, tendit la clé à Spade et s'effaça pour le laisser passer.

Spade ouvrit et poussa le battant. Silence et obscurité. Il entra sans allumer sa lampe qu'il tenait dans sa main gauche. Le chauffeur venait derrière lui, puis à quelque distance, le petit gros. Ils fouillèrent la maison de la cave au grenier, prudemment d'abord, puis, ne trouvant rien, sans se gêner. La maison était indubitablement vide et rien n'indiquait une visite récente.

*

— Merci, ce sera tout, dit Spade au chauffeur qui venait d'arrêter la voiture devant l'Alexandria.

Il entra dans l'hôtel et s'approcha de la réception.

— Bonsoir, monsieur Spade, dit un grand jeune homme au visage grave.

Spade l'attira à un bout du comptoir.

— Les Gutman, demanda-t-il, numéro *12C*, sont-ils là ?

— Non, dit l'employé, jetant au détective un regard aigu.

Il parut hésiter, puis murmura :

— A propos d'eux, est arrivée une chose étrange, ce soir, monsieur Spade. Quelqu'un a prévenu le poste de secours municipal qu'il y avait une jeune fille malade au *12C*.

— Et il n'y avait personne ? demanda Spade.

— Personne. Les Gutman sont sortis de bonne heure dans la soirée.

— Une de ces blagues idiotes, sans doute, dit Spade. Merci. Bonsoir.

Il entra dans une cabine téléphonique et appela un numéro.

— Allô ? Madame Perine ? Sam Spade... Est-ce qu'Effie est là ?... Oui, merci... Allô ! fillette, comment tout s'est-il passé ?... Bien... Très bien... je viens, je serai là dans vingt minutes.

*

Une demi-heure plus tard, Spade sonna à la porte de la petite maison de la Neuvième Avenue. Effie vint ouvrir. Son visage juvénile était las, mais souriant.

— Bonjour, patron, dit-elle, puis, à voix basse :

» Entre, si ma mère te dit quelque chose, sois gentil avec elle, Sam, elle est sens dessus dessous.

Spade la rassura d'un sourire et lui tapota l'épaule.

— Et Miss O'Shaughnessy ? demanda-t-elle tout de suite en posant la main sur son bras.

— Rien, dit-il, c'était un bateau. Tu es sûre que c'était sa voix ?

— Oui.

— Eh bien ! c'était du bidon, fit-il avec une grimace de dépit.

Effie le mena dans le salon aux couleurs gaies, soupira, se laissa tomber sur le canapé en lui souriant avec entrain malgré sa lassitude.

Il s'assit près d'elle et s'enquit :

— Alors, tout s'est bien passé ? Pas de questions au sujet du paquet ?

— Rien. J'ai raconté ce que tu m'avais dit et tout a passé comme une lettre à la poste.

— Dundy était là ?

— Non. Hoff et O'Gar, et d'autres que je ne connais pas. J'ai aussi parlé au capitaine.

— Ils t'ont emmenée au poste ?

— Oh oui ! Et ils m'ont posé des tas de questions, mais rien d'important... la cuisine habituelle.

Spade se frotta les mains.

— Bien, dit-il. (Puis il fronça les sourcils.) Mais ils vont réfléchir et me canuler sérieusement à la première occasion. Ce sacré Dundy, surtout, et Bryan. Personne n'est venu en dehors des flics ?

— Si, fit-elle en sursautant. Ce gamin qui avait apporté le message de Gutman. Il n'est pas entré, mais les flics ont laissé la porte ouverte pendant qu'ils étaient là et je l'ai vu debout dans le couloir.

— Tu n'as rien dit ?

— Oh, non ! Tu m'avais recommandé de ne rien dire. Je

ne lui ai pas prêté attention et quand j'ai de nouveau regardé un peu plus tard, il était parti.

Spade sourit.

— Tu as eu un sacré pot, fillette, que la police se soit amenée avant lui.

— Pourquoi ?

— Parce que c'est une sale graine, un vrai poison. Le macchabée était bien Jacobi ?

— Oui.

Il lui serra les mains et se leva.

— Je file, dit-il. Tu ferais bien de te pieuter. Tu as l'air pompée.

— Dis, Sam, qu'est-ce...

Il lui mit une main sur la bouche.

— Garde ça pour lundi. Je file avant que ta vieille m'attrape et me sonne les cloches pour débaucher son agneau de fille.

*

Quelques minutes après minuit, Spade arriva chez lui. Comme il glissait son passe-partout dans la serrure de la porte d'entrée, il y eut un claquement rapide de talons sur le trottoir. Spade se retourna. Brigid O'Shaughnessy montait en courant les marches du perron. Elle se jeta sur lui et s'accrocha à ses épaules, haletante :

— Oh, je pensais que tu n'arriverais jamais !

Elle était hagarde et tremblait de la tête aux pieds.

La soutenant d'un bras, il ouvrit la porte, poussa le battant et traîna Brigid à l'intérieur.

— Tu m'attendais ? demanda-t-il.

— Oui, j'étais un peu plus loin, souffla-t-elle, cachée sous un porche...

— Tu peux marcher, ou tu veux que je te porte ?

Elle secoua la tête.

— Ça ira... dit-elle... Dès que... je pourrai... m'asseoir.

Ils prirent l'ascenseur jusqu'à l'étage. Devant la porte de l'appartement, elle lâcha le bras de Spade et se tint debout près de lui, haletante, les deux mains à la poitrine pendant qu'il ouvrait la porte. Il alluma dans le couloir. Repoussant le battant, il la reprit par la taille. Comme ils étaient à un pas du salon, la lumière s'alluma. La jeune fille poussa un cri et se cramponna à Spade.

Dans la pièce, le gros Gutman les regardait en souriant d'un air bienveillant. Wilmer sortit de la cuisine, derrière eux, les deux gros automatiques paraissaient énormes dans ses mains fluettes. Cairo émergea de la salle de bains. Il avait aussi un pistolet.

— Nous voici enfin réunis, monsieur Spade, dit Gutman. Entrez, et asseyez-vous. Nous allons pouvoir bavarder tranquillement.

XVIII

LE BOUC ÉMISSAIRE

Spade, qui entourait du bras les épaules de Brigid O'Shaughnessy, eut un mince sourire, le cou tendu par-dessus la tête de la jeune fille.

— Nous allons bavarder, c'est entendu, dit-il.

Gutman recula de trois pas lentement. Ses joues boursouflées tremblaient comme de la gelée.

Spade et Brigid entrèrent ensemble. Wilmer Cook et Cairo les suivaient. Le jeune homme remit l'un de ses pistolets dans la poche de son veston et s'approcha de Spade.

Spade tourna la tête vers lui.

— Barre-toi ! dit-il. T'imagine pas que tu vas me toucher !

— Bouge pas ! répondit Wilmer, et boucle-la !

Les narines de Spade frémirent.

— Barre-toi, répéta-t-il doucement. Pose ta sale patte sur moi et je te force à tirer. Demande à ton patron s'il tient à se débarrasser de moi avant que j'aie parlé.

— C'est bon, Wilmer ! dit Gutman qui regarda Spade d'un air indulgent. Vous avez un fichu caractère. Voyons, asseyons-nous.

— Je vous ai déjà dit que je n'aimais pas cette lopette ! dit Spade, en traînant Brigid vers le canapé où ils s'assirent l'un près de l'autre.

Brigid, la tête contre le bras de Spade, qui ne l'avait pas lâchée, avait cessé de haleter et ne tremblait plus. La présence de Gutman et de ses compagnons paraissait lui avoir brusquement ôté sa liberté d'allure et ses réactions animales. Elle demeurait attentive, mais passive et fermée, comme une plante.

Gutman s'installa confortablement dans le rocking-chair ; Cairo dans le fauteuil placé près de la table. Wilmer ne s'assit pas. Planté sur le seuil de la porte, les bras pendants, un pistolet dans la main droite, il regardait obstinément la poitrine de Spade à travers ses cils recourbés. Cairo posa son arme devant lui, sur la table.

Spade ôta son chapeau, le lança à l'autre extrémité du canapé et regarda Gutman en souriant. Le relâchement de sa lèvre inférieure, un peu molle, et l'abaissement de ses paupières, combinés avec le « V » de son visage, lui composaient une tête de faune.

— Votre fille a un petit bide bien ferme et bien trop joli pour qu'on l'égratigne ! dit-il.

Gutman, impassible, continua de sourire. Wilmer fit un pas en avant et leva son pistolet à hauteur de sa hanche. Tous les autres le regardèrent. La même lueur de réprobation apparut, par une bizarre coïncidence, dans les yeux de Brigid et de Cairo. Le gamin rougit, recula d'un pas, baissa le bras et, les yeux voilés sous ses longs cils, il se remit à considérer fixement la poitrine du détective.

Gutman, toujours souriant et huileux, se tourna vers Spade.

— Oui, monsieur, c'est dommage, ronronna-t-il, mais vous admettrez que c'était bien joué.

— Vous jouiez sur le velours, répondit Spade, les sourcils froncés. Naturellement dès que j'ai eu le faucon, j'ai songé à me mettre en rapport avec vous. Des clients qui paient comptant, c'est rare ! Je m'attendais à vous trouver réunis à Burlingame. J'ignorais que vous tenteriez, une demi-heure plus tard, de vous débarrasser de moi pour tâcher de remettre la main sur Jacobi, avant qu'il m'ait trouvé, lui.

— N'importe, dit-il en gloussant avec satisfaction, nous voici réunis, si c'était ce que vous désiriez.

— C'est certainement ce que je désire. Quand pouvez-vous effectuer le premier versement et prendre possession du faucon ?

Brigid O'Shaughnessy sursauta et fixa sur Spade de grands yeux surpris. Il lui tapota l'épaule du bout des doigts, distraitement, sans quitter Gutman des yeux. Ceux du petit homme pétillaient de joie entre les bourrelets de graisse.

— Quant à ça, monsieur... dit-il, glissant sa main grasse vers la poche intérieure de son veston.

Cairo, les mains à plat sur les cuisses, se pencha en avant, les lèvres entrouvertes. Ses pupilles sombres, agrandies, luisaient comme la laque, ses yeux faisaient la navette entre Spade et Gutman.

— Quant à ça... répéta Gutman, tirant une enveloppe blanche de sa poche.

Cinq paires d'yeux — ceux du gosse à présent seulement à demi dissimulés par ses cils — se concentrèrent sur le papier. Gutman retourna l'enveloppe entre ses doigts, la contempla un moment au recto — sans nom ni adresse —

puis au verso — elle n'était pas cachetée — et il releva la tête, sourit et lança l'enveloppe sur les genoux de Spade.

Elle n'était pas lourde ; assez pourtant pour atteindre son but : les genoux de Spade. Le détective la saisit sans hâte, après avoir ôté son bras gauche des épaules de Brigid. Il en tira dix billets neufs de mille dollars et les compta. Puis il releva la tête et sourit.

— Nous avions parlé, dit-il, d'une somme plus importante.

— Oui, monsieur, approuva Gutman, mais nous parlions. Vous avez devant vous des espèces qui sortent tout droit de la banque d'Etat. Avec l'un de ces dollars, vous pouvez acheter davantage qu'avec la promesse de 10 dollars.

Un rire silencieux secouait ses bajoues.

— Nous sommes maintenant plus nombreux dans l'affaire, dit-il un peu plus sérieusement, mais pas trop, en désignant Cairo de la tête, les yeux toujours pétillants dans son visage gras. En somme, la situation est légèrement modifiée.

Spade avait rassemblé les billets et les avait glissés dans l'enveloppe dont il rentra la patte. Les avant-bras posés sur les genoux, penché en avant, il balançait l'enveloppe entre le pouce et l'index.

— C'est entendu, dit-il très calme, vous faites cause commune mais j'ai le faucon.

Joel Cairo, serrant les bras de son fauteuil, se pencha en avant et dit, de sa voix aiguë :

— Je n'ai pas besoin d'insister, monsieur Spade, sur le fait que, si vous avez le faucon, nous, nous vous tenons.

— Je m'efforce d'écarter cette pensée, dit Spade en souriant.

Il se redressa, posa l'enveloppe près de lui, sur le canapé, et s'adressa à Gutman.

— Nous reparlerons finances plus tard, dit-il. Une précaution s'impose avant tout : il faut trouver un bouc émissaire pour la police.

Gutman fronça les sourcils sans comprendre.

— La police, expliqua immédiatement Spade, a besoin d'un pigeon sur le dos de qui elle pourra coller les trois meurtres. Nous...

— Deux...! deux seulement, monsieur Spade, s'écria Cairo. Thursby a certainement tué votre associé.

— Deux, si vous voulez, grogna le détective. Ça n'y change rien. Il faut que la police...

— Monsieur, interrompit Gutman, très à l'aise et le sourire assuré, nous vous avons vu à l'œuvre et nous avons entendu parler de vous ; je ne doute pas qu'il vous soit facile de régler ce détail sans notre intervention. Nous sommes convaincus que vous n'avez nul besoin du concours de gens aussi inexpérimentés que nous.

— Si vous croyez ça, dit Spade, c'est que vous m'avez mal vu et que vos renseignements sur moi sont insuffisants.

— Voyons, monsieur Spade, vous n'allez pas nous faire croire que la police vous fait peur ou que vous n'êtes pas tout à fait capable de...

Spade émit un grognement et renifla. Il se pencha, les avant-bras reposant de nouveau sur ses genoux, et coupa Gutman avec mauvaise humeur :

— Je me fous pas mal des flics et je sais comment m'y prendre avec eux. C'est ce que j'essaie de vous expliquer. Le moyen de s'en tirer avec eux, c'est de leur flanquer une victime dans les pattes. Quelqu'un à qui ils puissent tout coller sur le dos.

— C'est une façon d'envisager le problème, mais...

— Il n'y a pas de *mais* ! dit Spade, c'est l'unique solution. (Ses yeux étaient sérieux sous son front rougissant. Sur sa tempe, l'ecchymose virait au jaune.) Je sais de quoi je parle. J'ai déjà envoyé les flics aux pelotes plus d'une fois. Je me suis toujours tiré d'affaire parce que je n'oublie jamais que le jour du règlement de comptes arrive toujours. Je n'oublie jamais que lorsque ce jour-là arrive, je dois être fin prêt et en mesure de m'amener au poste en poussant une victime devant moi et en leur disant : « Tenez, ballots, le voilà, votre criminel ! » Aussi longtemps que je pourrai faire ça, il me sera facile de me mettre toutes les lois du Code quelque part, mais la première fois que je loupe mon coup, je suis fait comme un rat. Ça n'est pas encore arrivé et ce n'est pas près d'arriver. Voilà. C'est net et sans bavures.

Gutman faisait un œil sceptique, mais toutes ses boursouflures continuaient à sourire et sa voix restait très calme.

— C'est un excellent système, monsieur, dit-il. S'il était possible de l'appliquer dans le cas présent, je serais le premier à vous dire : Allez-y ! Mais il s'agit justement d'une affaire où il est inapplicable. Il en est ainsi du meilleur des systèmes : un jour vient où il faut faire une exception. Un homme sage n'hésite pas à envisager l'exception et ma foi, c'est exactement ce qu'il convient de faire dans le cas présent. Je ne vois aucun inconvénient à vous faire remarquer que vous êtes assez bien payé pour faire une exception. Evidemment, ça vous donnera peut-être un peu plus de mal que si vous aviez votre victime toute prête à remettre à la police mais (il rit et étendit les mains) vous n'êtes pas homme à redouter quelques difficultés. Vous la connaissez dans les coins et vous savez que vous retomberez sur vos pieds quoi qu'il arrive.

Il se mordit les lèvres et ferma un œil à demi.

Les yeux de Spade avaient perdu leur éclat et son visage redevenait sombre et immobile.

— Je sais ce que je dis, fit-il, d'une voix basse et patiente. Je suis dans *ma* ville, je vous parle de *mon* boulot. Bien sûr, je pourrais m'en tirer cette fois, mais la prochaine fois ils me sauteraient dessus si vite que j'en avalerais mes dents. Merde alors. Non. Vous serez à New York ou à Constantinople ! Je reste ici, moi !

— Mais..., dit Gutman.

— Non, coupa Spade gravement. Impossible !

Puis il se redressa. Un sourire aimable éclaira son visage, en effaçant d'un coup toute la morosité. Et il s'exprima d'un ton vif, agréable, persuasif :

— Ecoutez-moi, Gutman. Je parle dans *notre* intérêt à tous. Si nous ne livrons pas une victime à la police, il y a dix chances contre une pour qu'elle découvre l'histoire du faucon. Où que vous soyez, vous devrez vous planquer et cela ne facilitera pas vos négociations avec les acheteurs. Donnez un bouc émissaire aux flics, et ils n'iront pas chercher plus loin.

— Voilà justement le point délicat, riposta Gutman dont seuls les yeux trahissaient un soupçon d'embarras. La police s'en tiendra-t-elle là ? Et le bouc émissaire ne les mènera-t-il pas à la découverte du faucon ? N'est-il pas préférable de les laisser dans l'ignorance ?

Une veine se gonflait lentement sur le front de Spade.

— Bon Dieu ! grogna-t-il, vous ne les connaissez pas ! Ils attendent, Gutman ! Vous pigez ! Ils ne roupillent pas. Et moi je suis dans le bain jusqu'au cou. Ils le savent. Tout se passera normalement si, le moment venu, je peux me justifier ; sinon ça pètera ! (Sa voix se refit persuasive.) Ecoutez-moi, Gutman. Il faut leur donner une victime. On ne peut s'en tirer autrement. Livrons la petite lopette !

Il montra Wilmer d'un mouvement de la tête.

— Il a effectivement tué les deux hommes — Thursby et Jacobi — non ? En tout cas, il est fait sur mesure pour le rôle. Rassemblons les preuves nécessaires contre lui et livrons-le à la police..

Les lèvres de Wilmer se contractèrent brusquement, comme s'il essayait de sourire. La proposition de Spade parut ne lui faire aucun autre effet. Joel Cairo bouche bée, les yeux écarquillés, demeurait stupide. Sa poitrine ronde, presque féminine, se soulevait et s'abaissait rapidement. Brigid s'était reculée, sur le canapé, et regardait Spade. Un rire hystérique couvait dans ses yeux, malgré la confusion que révélait son visage.

Gutman resta impassible un long moment, puis il éclata d'un rire prolongé et jovial.

— Bon Dieu, monsieur, s'écria-t-il enfin, vous êtes un vrai phénomène !

Il tira un mouchoir blanc de sa poche et s'essuya les yeux.

— On ne peut jamais prévoir ce que vous allez faire ou dire, reprit-il, sinon que ce sera toujours une chose étonnante.

— Il n'y a pas de quoi rire ! répondit Spade imperturbable.

Spade ne semblait ni vexé ni le moins du monde impressionné par le rire du gros homme. Il parla comme on le fait pour raisonner un ami récalcitrant.

— C'est le meilleur système, insista-t-il. Quand la police le tiendra, nous...

— Mais, mon cher monsieur, interrompit Gutman, si j'avais l'intention d'agir ainsi — mais c'est ridicule, car j'aime Wilmer comme un fils — qu'est-ce qui l'empêcherait de raconter l'histoire du faucon dans tous ses détails... et la nôtre ?

— S'il le fallait, nous pourrions nous arranger pour qu'il soit abattu en résistant à la police, fit Spade avec un sourire mauvais. Mais nous n'aurons pas à aller jusque-là. Il pourra débiter tout son rouleau. Je vous garantis que nous ne serons pas inquiétés. C'est enfantin.

Le front boursouflé de Gutman se rida. Il baissa la tête, écrasant ses multiples mentons sur son col.

— Comment ? demanda-t-il.

Puis, relevant soudain la tête, il se tourna vers le jeune homme et lui dit avec un rire énorme :

— Qu'en penses-tu, Wilmer ? C'est trop drôle, hein !

Les yeux de l'adolescent luisaient sous ses longs cils.

— Oui, c'est drôle..., dit-il d'une voix basse et distincte. Le fumier !

Spade parlait à Brigid.

— Comment te sens-tu, mon chou ? Mieux ?

— Oui, mieux, mais (elle baissa la voix au point que les mots suivants auraient été inintelligibles à cinquante centimètres de distance) j'ai peur !

— Mais non, mais non, fit-il, en lui caressant distraitement le genou. Il ne se passera rien de vraiment terrible. Soif ?

— Non, merci. Sois prudent, Sam ! murmura-t-elle.

Le détective sourit et regarda Gutman qui l'observait en souriant également avec cordialité sans rompre le silence. Puis au bout d'un moment :

— Comment ? répéta Gutman.

— Comment quoi ? fit Spade jouant l'idiot.

Gutman se remit à rire, puis expliqua :

— Si vous parlez sérieusement, monsieur, nous vous devons au moins une attention polie. Comment pourrez-vous vous arranger pour que Wilmer (il s'interrompit pour rire de nouveau) soit rendu inoffensif ?

— Non, fit Spade, secouant la tête, je n'ai pas l'intention d'abuser de votre politesse. N'en parlons plus.

— Allons, allons ! protesta Gutman. Vous me mettez vraiment dans l'embarras. Je n'aurais pas dû rire et je m'en excuse humblement et très sincèrement. Je n'avais pas l'intention de ridiculiser votre idee, même si je ne l'approuve pas. Vous savez que j'éprouve pour votre talent la plus sincère admiration. Mais je ne puis comprendre comment votre suggestion pourrait être mise en pratique — sans parler du fait que je considère Wilmer comme mon propre fils. Mais je vous serais très reconnaissant de nous donner une explication, ne serait-ce que pour prouver que vous acceptez mes excuses.

— Ça va, dit Spade, Bryan ressemble à la plupart des districts attorneys : il veut surtout des cas bien tranchés. Il préfère abandonner une affaire douteuse plutôt que risquer de se retrouver bredouille. A ma connaissance il n'a jamais fait condamner quelqu'un qu'il croyait innocent grâce à des preuves fabriquées ; mais je ne l'imagine guère se laissant aller à croire en l'innocence de quelqu'un après avoir rassemblé des preuves de sa culpabilité. Pour faire condamner sûrement un accusé il négligera de poursuivre des complices dont le témoignage compliquerait l'affaire et risquerait de compromettre la décision finale.

» C'est bien comme ça qu'on va lui présenter la situation, et ça ne fera pas un pli. L'histoire du faucon ne l'intéressera pas. Il se persuadera sans se forcer que les histoires de la petite lopette sont des bobards à la noix pour foutre la pagaille. Je me charge de le convaincre que, s'il veut arrêter toutes les personnes compromises, le procès se compliquera au point que le jury n'y comprendra plus rien. Au contraire s'il s'en tient au jésus, il est sûr de le faire raccourcir.

Gutman sourit, en penchant la tête de côté, d'un air vaguement désapprobateur.

— Non, monsieur, dit-il, je crains que ça ne marche pas, pas du tout ; je ne comprends pas comment votre district attorney pourra établir un lien entre Thursby, Jacobi et Wilmer sans...

— Vous ne savez pas ce que c'est qu'un district attorney, répondit Spade. Pour Thursby ça va tout seul : c'était un « tueur », tout comme la petite lopette. Bryan a déjà une théorie toute prête. Et puis, quoi, bon Dieu ! on ne prendra votre petit ami qu'une fois. Pourquoi le jugerait-on encore pour le meurtre de Jacobi, quand il aura été épinglé pour celui de Thursby ? On ajoutera le second au premier surtout s'il s'est, dans les deux cas, servi de la même arme, et que les projectiles soient semblables. Et tout le monde sera content.

— Oui, mais..., dit Gutman, qui s'interrompit pour regarder le gamin.

Wilmer venait de quitter la porte et s'avançait, les jambes un peu raides vers le centre de la pièce. Il s'arrêta entre Cairo et Gutman, le torse légèrement penché en avant, les épaules remontées. Le bras allongé il tenait dans la main droite son pistolet, le canon dirigé vers le sol ; il serrait la crosse de toutes ses forces. Son autre main était crispée. L'extrême jeunesse de son visage rendait presque inhumaine l'expression de haine qui l'animait. D'une voix rauque et frémissante de rage, il dit à Spade :

— Sors ton feu, salaud, et lève-toi !

Spade sourit : un sourire amusé qui paraissait naturel.

— Salaud ! répéta Wilmer. Lève-toi ! On va régler ça tout de suite... si tu n'es pas un dégonflé ! Tu commences à me courir !

Le sourire amusé du détective s'élargit. Il regarda Gutman.

— Ah ! quelle belle jeunesse ! murmura-t-il d'un ton tout aussi amusé que son sourire. Dites-lui donc que de me supprimer avant que vous ayez le faucon n'arrangerait pas vos affaires.

Gutman grimaça un pâle sourire. Il passa une langue sèche sur des lèvres sèches. Sa voix rauque tenta de prendre un ton paternel pour admonester le jeune homme.

— Allons, allons, Wilmer, dit-il, tiens-toi tranquille, il ne faut pas attacher tant d'importance à ce genre de choses. Tu...

— Qu'il me foute la paix, alors, répondit Wilmer d'une voix étranglée, ou je le brûle. Et rien ne m'en empêchera.

— Voyons, Wilmer ! répéta Gutman ; puis, tourné vers Spade :

» Votre suggestion, monsieur, n'est pas réalisable, n'en parlons plus.

Il semblait avoir retrouvé son calme. Spade les regarda l'un après l'autre ; il ne souriait plus. Son visage était d'une totale impassibilité :

— Je dis ce qui me plaît.

— Certes, et c'est une des choses que j'ai toujours admirées en vous, répondit vivement Gutman, mais il est inutile de discuter plus longtemps sur ce point. Vous le voyez vous-même.

— Je ne vois rien du tout, répliqua Spade. Vous ne

m'avez pas convaincu et je ne vous en crois pas capable. (Il fronça les sourcils.) Entendons-nous bien. Est-ce que je perds mon temps en m'adressant à vous ? Je croyais que vous étiez le patron. Faut-il que je discute avec la petite lopette ? Je sais comment m'y prendre.

— Non, monsieur, répondit Gutman, c'est avec moi que vous traitez.

— Bien. J'ai une autre solution à vous proposer, elle ne vaut pas la première, mais c'est mieux que rien.

— Voyons ?

— Livrons Cairo.

Cairo saisit rapidement le pistolet posé sur la table et le tint contre son ventre à deux mains, le canon pointé très bas, vers un coin du canapé. Son visage était devenu jaunâtre. Ses yeux noirs éperdus allaient de l'un à l'autre des occupants de la pièce.

Gutman paraissait ne pas en croire ses oreilles.

— Livrons qui ?

— Livrons Cairo.

Gutman fut sur le point d'éclater de rire, mais il se contint :

— Bon Dieu ! s'exclama-t-il d'un ton incrédule.

— Il vaut bien mieux livrer la petite lopette, reprit Spade. Cairo n'est pas un tueur et son arme n'est pas du calibre de celle qui a descendu Thursby et Jacobi. Ce sera plus dur de combiner la chose, mais c'est toujours mieux que de ne donner personne.

— Et si nous vous livrions vous-même, monsieur Spade, ou bien Miss O'Shaughnessy, puisque vous tenez tant à livrer quelqu'un ? glapit Cairo avec fureur.

— Vous voulez le faucon, n'est-ce pas ? dit Spade en souriant tranquillement. Je l'ai. Le bouc émissaire est compris dans le marché. Quant à Miss O'Shaughnessy ? (il tourna son regard froid vers la jeune fille et leva légèrement les épaules) si vous pensez qu'elle puisse faire l'affaire, je suis prêt à en discuter avec vous.

Brigid croisa les mains sur sa gorge, poussa un cri étouffé et recula jusqu'à l'extrémité du canapé.

— Vous semblez oublier, dit Cairo, tremblant de fureur contenue, que vous n'êtes pas dans une situation qui vous permette d'imposer votre point de vue?

Spade eut un rire méprisant.

— Allons, allons, messieurs, intervint Gutman, ne nous échauffons pas. Cependant, ce que M. Cairo vient de dire, me paraît... heu... raisonnable. Vous devez considérer, monsieur Spade...

— Je considère la peau, coupa Spade avec une sorte d'insouciante brutalité qui donnait plus de poids à ses paroles que s'il s'était exprimé avec une emphase théâtrale ou en élevant le ton. Si vous me tuez, comment ferez-vous pour avoir l'oiseau? Et si je sais que vous ne pouvez vous permettre de me supprimer avant de l'avoir en votre possession, comment allez-vous m'amener à vous le remettre par peur?

Gutman pencha la tête sur la gauche et réfléchit à ces questions. Ses yeux pétillaient sous ses paupières plissées.

— Ma foi, monsieur, répondit-il au bout d'un moment avec bonhommie, il existe d'autres moyens de persuasion que celui qui consiste à tuer ou à menacer de le faire.

— Bien sûr, acquiesça Spade, mais ils ne valent pas grand-chose s'ils ne sont pas appuyés par la menace de mort pour tenir la victime sous le joug. Vous voyez ce que je veux dire? Si vous tentez quelque chose qui ne me plaît pas, je ne l'admettrai pas. Je ferai en sorte que vous soyez forcé d'y renoncer ou de me tuer, sachant que vous ne pouvez vous permettre de m'effacer.

— Je vois ce que vous voulez dire, gloussa Gutman. C'est une attitude qui réclame le plus grand discernement de la part des deux camps car, ainsi que vous le savez, monsieur, il arrive que les hommes oublient dans le feu de l'action où sont leurs intérêts et se laissent entraîner par leurs émotions.

Spade était lui aussi tout sourire :

— C'est ça l'astuce en ce qui me concerne : tenir la bride avec fermeté, mais en lui donnant assez de souplesse pour ne pas vous rendre furieux au point de me descendre inconsidérément.

— Bon Dieu, monsieur, fit Gutman d'un ton affectueux, vous êtes un phénomène !

Joel Cairo se leva d'un bond et s'approcha par-derrière de Gutman. Il se pencha et mit une main en pavillon autour de ses lèvres pour parler à l'oreille du poussah qui écoutait attentivement, les yeux fermés.

Spade lança un clin d'œil aimable à Brigid qui lui répondit par un sourire crispé, qui ne se refléta pas dans ses yeux. Le détective se tourna vers Wilmer.

— Dix contre un qu'ils sont en train de te vendre, bébé ! fit-il.

Le gamin ne répondit pas : l'étoffe de son pantalon se mit à trembler à la hauteur des genoux.

— J'espère, dit Spade à Gutman, que vous ne vous laissez pas influencer par les flingues de ces tueurs à la mie de pain.

Gutman ouvrit les yeux. Cairo cessa de chuchoter à son oreille et resta debout derrière lui.

— J'ai déjà eu l'occasion de les leur prendre à tous les deux, reprit Spade. Ça ira tout seul. La lopette est...

— Ça va, hurla le gamin d'une voix étranglée en levant son arme.

Gutman attrapa au vol le poignet droit de Wilmer et l'abaissa tout en se levant. Cairo lui avait saisi l'autre poignet et tous deux s'efforçaient de maîtriser le gamin qui se débattait en vain. Ils parlaient tous les trois en même temps ; Wilmer avec incohérence : « C'est bon... Allez-y... Salaud », Gutman répétant : « Allons, allons, Wilmer ! » et Cairo suppliant : « Non, non, ne faites pas ça, Wilmer. »

Le visage tendu, l'œil rêveur, Spade se leva et s'approcha du groupe. Wilmer ne résistait plus. Cairo le tenait toujours par le bras et lui parlait doucement. Spade écarta le métèque et lança un direct du gauche au menton du gamin dont la tête bascula en arrière, puis revint en avant.

— Hé là ! fit Gutman.

Spade détendit cette fois son poing droit. Cairo lâcha le bras de Wilmer, qui s'effondra sur le ventre de Gutman. Puis il se précipita sur Spade toutes griffes dehors. Spade prit son souffle et le repoussa d'une main. Cairo revint à la charge, les larmes aux yeux, ses lèvres tremblantes formant des mots sans émettre de son.

Spade se mit à ricaner :

— Ah, tiens ! tu me plais toi ! dit-il.

Et d'une baffe bien appliquée, il l'envoya basculer contre la table. Cairo se ramassa et revint à la charge pour la troisième fois. Spade tendit les bras et le bloqua en lui appliquant les deux paumes sur le visage. Ne pouvant lui rendre la pareille du fait de ses bras trop courts, Cairo se mit à lui bourrer les bras de coups de poing.

— Fais gaffe ou je t'amoche, gronda Spade.

— Espèce de grand lâche ! cria Cairo, en battant en retraite.

Spade se baissa pour ramasser le pistolet de Cairo et celui de Wilmer. Il se releva, les deux automatiques dans la main gauche, l'index passé dans le pontet.

Gutman avait assis le jeune homme dans le rocking-chair et le regardait d'un œil trouble. Cairo s'agenouilla et se mit à peloter l'une des mains inertes de Wilmer.

— Rien de cassé, dit Spade, en lui tâtant le menton. On va l'allonger sur le canapé.

Il passa son bras droit autour des épaules de Wilmer, l'avant-bras gauche sous les genoux, le souleva sans effort et le coucha sur le divan d'où Brigid venait de se lever. De la main droite, Spade tâta les vêtements du gamin, trouva son second pistolet qu'il fit passer avec les autres dans sa main gauche et tourna le dos au canapé. Cairo était déjà assis près de la tête du gamin.

Tout en agitant les trois flingues dans sa main, Spade adressa un sourire jovial à Gutman et déclara :

— Eh bien ! voilà notre bouc émissaire !

Gutman, le visage grisâtre, le regard assombri, regardait le plancher sans rien dire.

— Ne faites pas l'idiot, dit Spade. Vous avez laissé Cairo faire ses messes basses et vous avez tenu le bras du gosse pendant que je lui cognais dessus. Vous ne vous en tirerez pas si facilement. Vous risquez de vous faire descendre comme un lapin !

Gutman remua les pieds sur le tapis sans rien dire.

— D'un autre côté, continua Spade, ou vous marchez, ou je refile le faucon et votre jolie bande aux flics.

— Je n'aime pas beaucoup ça ! murmura Gutman entre ses dents en relevant la tête.

— Non, fit Spade. Alors ?

Gutman soupira, fit une grimace et dit tristement :

— Prenez-le...

— Parfait ! dit Sam.

XIX

LE COUP DU RUSSE

Wilmer gisait sur le dos. Il avait tout d'un cadavre, mais sa poitrine se soulevait. Joel Cairo, penché sur lui, lui frictionnait les joues et les poignets, lissait ses cheveux, murmurait en tenant son regard inquiet fixé sur son visage pâle et figé.

Brigid O'Shaughnessy, debout dans un coin de la pièce, tenait une main contre sa poitrine ; l'autre était posée à plat sur la table. Elle mordillait sa lèvre inférieure et observait furtivement Spade, détournant la tête pour contempler

Cairo et Wilmer chaque fois que son regard se posait sur elle.

Le visage de Gutman se rassérénait peu à peu et reprenait ses couleurs. Les mains dans les poches de son pantalon, il considérait Spade sans curiosité.

Le détective, balançant négligemment les trois pistolets, désigna Cairo de la tête :

— Et celui-là ? demanda-t-il. Il va marcher ?

— Je ne sais pas, répondit tranquillement le gros homme, ça vous regarde.

Spade sourit, le menton pointé en avant.

— Cairo ? appela-t-il.

Le métèque tourna son visage basané à l'air soucieux par-dessus son épaule.

— Foutez-lui la paix, dit Spade. On va le livrer aux flics, mais il faut s'entendre sur les détails avant qu'il revienne à lui.

— Vous ne lui en avez pas fait assez ? dit Cairo amèrement.

— Non, fit Spade.

Cairo se leva et s'approcha de Gutman.

— Ne faites pas ça, monsieur Gutman, supplia-t-il. Rendez-vous compte que...

— Inutile, coupa Spade, c'est décidé. Une seule question n'est pas encore réglée. Votre rôle dans tout ça ? Etes-vous pour ou contre ?

— Je n'aime pas ça non plus, dit Gutman au Levantin, hochant la tête avec un sourire mélancolique, mais on n'y peut plus rien, plus rien du tout.

— Alors, Cairo ? insista Spade.

Le Levantin s'humecta les lèvres et se tourna lentement vers Spade.

— Supposons, commença-t-il. (Il déglutit.) Est-ce que... Puis-je choisir ?

— Mais oui, dit Spade sérieusement, mais il faut que

vous sachiez que si c'est non, je vous livre à la police en même temps que votre petit copain.

— Voyons, monsieur Spade... protesta Gutman.

— Tu parles que je vais le laisser filer comme ça, coupa Spade. De deux choses l'une : ou il entre dans le jeu ou je le fous dedans. On ne prendra jamais trop de précautions.

Les sourcils froncés, il regarda un instant Gutman.

— Nom de Dieu ! cria-t-il soudain, vous en êtes donc à votre premier coup ! Qui m'a foutu des cloches pareilles. Qu'est-ce que vous allez faire ? Vous foutre à genoux et dire vos prières ?

Il se tourna vers Cairo.

— Alors, c'est vu ?

— Vous ne me laissez pas le choix ! murmura Cairo haussant ses épaules étriquées. Je suis avec vous.

— Bien, dit Spade en regardant tour à tour Gutman et Brigid O'Shaughnessy, asseyons-nous.

Brigid s'assit avec précaution sur le canapé, près des pieds de Wilmer. Gutman regagna le rocking-chair et Cairo son fauteuil. Spade s'assit sur la table et posa les pistolets contre sa cuisse.

— Deux heures, dit-il, regardant sa montre. Je ne peux pas avoir le faucon avant le jour, pas avant huit heures. On a tout le temps de combiner l'affaire.

— Où est l'oiseau ? dit Gutman, en se raclant la gorge ; puis, très vite :

» Je ne suis pas inquiet, monsieur, mais je pense que nous ne devrions pas nous perdre de vue avant que l'affaire soit réglée.

Il regarda le canapé, puis Spade d'un œil pénétrant.

— Vous avez l'enveloppe ? demanda-t-il.

Le détective fit non de la tête, se tourna vers le sofa et regarda Brigid.

— C'est Miss O'Shaughnessy qui l'a, dit-il, avec un petit sourire.

— Oui, murmura-t-elle, glissant une main dans son manteau, je l'ai ramassée...

— Ça va, ça va, dit Spade. Garde-la. (Puis, s'adressant à Gutman :) Nous ne nous perdrons pas de vue. Je ferai livrer le faucon ici même.

— Parfait ! ronronna Gutman. Donc contre dix mille dollars et Wilmer, vous nous donnez le faucon et une ou deux heures d'avance, pour que nous ayons pris le large quand vous le livrerez à la police.

— Vous n'avez pas besoin de vous planquer, observa Spade, ça marchera comme sur des roulettes.

— Peut-être, monsieur, mais nous préférons être déjà loin de San Francisco quand le district attorney interrogera Wilmer.

— Comme vous voudrez, répondit Spade ; je peux garder le gosse ici toute la journée, si vous y tenez.

Il se mit à rouler une cigarette.

— Mais entendons-nous bien. Pourquoi a-t-il descendu Thursby ? Pourquoi, où et quand a-t-il descendu Jacobi ?

Gutman eut un sourire indulgent, secoua la tête et répondit d'une voix très douce :

— Voyons, monsieur, vous ne pouvez exiger de nous ces précisions. Je paye et je vous abandonne Wilmer ; le reste vous regarde.

— J'ai besoin de précisions, dit Spade tout en allumant sa cigarette à la flamme de son briquet. J'ai demandé un bouc émissaire, mais il faut pouvoir l'épingler à coup sûr, et pour cela, j'ai besoin d'être fixé. (Il fronça les sourcils.) Vous vous dégonflez ? Vous le sentirez passer si Wilmer réussit à s'en tirer...

Gutman se pencha en avant et montra de son doigt boudiné les pistolets posés sur la table près des jambes de Spade.

— Voici, dit-il, une preuve bien évidente de sa culpabilité. Les deux hommes ont été abattus avec ces automatiques Il est facile à la police d'établir que les projectiles ayant causé la mort ont été tirés par l'un de ces pistolets. Vous le savez. Vous l'avez dit vous-même. J'imagine que ceci doit suffire.

— Possible, approuva Spade, mais c'est plus compliqué que ça; j'ai besoin de détails pour boucher les trous de l'histoire que je vais servir aux flics.

— Vous prétendiez que la chose serait très facile, objecta Cairo; puis s'adressant à Gutman :

» Vous voyez! Je vous avais conseillé de n'en rien faire, continua-t-il en tournant d'un air agité son visage olivâtre vers Gutman, je ne crois pas...

— Je me fous de ce que vous croyez tous les deux, dit Spade brutalement. Il est trop tard maintenant et vous êtes dedans jusqu'au cou. Pourquoi a-t-il descendu Thursby?

Gutman croisa les mains sur son ventre et fit osciller son fauteuil.

— Vous êtes bien difficile à manier, dit-il avec un sourire triste, et je commence à croire que j'aurais mieux fait de vous laisser dans votre coin. Ma foi, c'est vrai, monsieur.

— Ne vous plaignez pas, répondit Spade avec un geste désinvolte; vous coupez à la taule et vous avez le faucon. Qu'est-ce qu'il vous faut de plus? (Il colla sa cigarette au coin de sa bouche.) En tout cas, vous savez où vous en êtes, maintenant. Pourquoi a-t-il tué Thursby?

Gutman arrêta le balancement de son rocking-chair.

— Thursby était un « tueur » notoire et l'ami de Miss O'Shaughnessy. Nous avons pensé que son escamotage l'engagerait à réfléchir et à traiter avec nous. Vous voyez, monsieur, je ne vous cache rien.

— Bien, dit Spade. Continuez. Vous ne pensiez pas qu'il avait le faucon?

Gutman secoua négativement la tête, en balançant ses bajoues.

— Pas un instant, répondit-il, en souriant avec bienveillance; nous connaissions trop bien Miss O'Shaughnessy. Certes, nous ignorions qu'elle avait confié l'oiseau au

capitaine Jacobi à Hong-Kong pour qu'il le prenne à bord
de *La Paloma* alors qu'eux-mêmes prenaient un bateau plus
rapide, mais nous étions sûrs que, s'il n'y en avait qu'un
seul des deux à savoir où il était, ça n'était pas Thursby.

Spade approuva pensivement.

— Vous n'avez pas essayé de traiter avec lui d'abord ?

— Si, bien sûr, je l'ai vu moi-même, ce soir-là. Wilmer
l'avait déniché deux jours plus tôt et avait essayé de le filer
pour savoir où il retrouvait Miss O'Shaughnessy, mais
Thursby était trop finaud pour se laisser posséder, même
s'il n'avait rien flairé. Donc, ce soir-là, Wilmer a été à son
hôtel et comme il était absent, l'a attendu dehors. Je
suppose que Thursby est rentré tout de suite après avoir
descendu votre associé. Wilmer me l'a amené. Impossible
de rien en tirer. Il était décidé à ne pas la trahir. Wilmer l'a
donc suivi et... il a fait ce qu'il a fait.

— Ça a l'air de se tenir, murmura Spade après avoir
réfléchi un moment. Et Jacobi ?

Gutman regarda gravement le détective et dit :

— Miss O'Shaughnessy est seule responsable de la mort
du capitaine Jacobi.

— Oh ! fit la jeune fille, en mettant une main devant sa
bouche.

— On verra ça plus tard, dit Spade, d'une voix pesante.
Racontez votre histoire.

— A vos ordres, dit Gutman avec un léger sourire,
voyons : Cairo s'était, comme vous ne l'ignorez pas, mis en
rapport avec moi — je l'ai fait venir –- la nuit — ou le matin
— où la police l'a relâché. Nous avions reconnu qu'il était
préférable de réunir nos forces. (Il adressa son sourire au
Levantin.) M. Cairo est très perspicace. C'est lui qui a pensé
au *La Paloma* et s'est souvenu que, à Hong-Kong, il avait
entendu dire que le capitaine Jacobi et Miss O'Shaughnessy
avaient été vus ensemble. C'était pendant qu'il essayait de
la dénicher là-bas, et il a d'abord pensé qu'elle s'était
embarquée. Il avait même pensé, à ce moment-là, sur *La*

Paloma, puis il apprit qu'elle ne l'avait pas fait. Quand il constata que l'arrivée du navire à San Francisco était annoncée par le journal, il devina ce qui s'était passé : elle avait confié l'oiseau à Jacobi. Celui-ci ignorait, bien entendu, de quoi il s'agissait. Miss O'Shaughnessy est une personne discrète.

Il regarda la jeune fille, en souriant, se balança deux fois dans son fauteuil, puis reprit :

— Nous avons été tous les trois — Cairo, Wilmer et moi-même — voir le capitaine à bord et nous avons eu la chance d'arriver alors que Miss O'Shaughnessy était avec lui. L'entrevue a été laborieuse et mouvementée. Finalement, vers minuit, nous avons réussi à persuader Miss O'Shaughnessy qu'il était plus avantageux de traiter — ou du moins, c'est ce que nous avons cru — et nous avons quitté le navire pour nous rendre à mon hôtel où je devais payer Miss O'Shaughnessy et recevoir le faucon. Eh bien ! monsieur Spade, nous aurions dû nous méfier, au lieu de nous juger capables de rouler cette femme ! En route, Jacobi, le faucon et la demoiselle nous ont glissé entre les doigts et (il eut un rire joyeux) j'avoue que le coup a été bien joué.

Spade regarda Brigid dont les yeux assombris suppliaient.

— Vous avez foutu le feu au bateau avant de partir ? demanda-t-il à Gutman.

— Involontairement, monsieur, protesta Gutman bien que, sans doute, nous — ou du moins Wilmer — soyons responsables de l'incendie. Wilmer était sorti à la recherche du faucon, pendant que nous discutions dans la cabine, et il a dû faire des imprudences avec ses allumettes.

— Parfait ! dit Spade, si on n'arrive pas à le coincer pour le meurtre de Jacobi, on pourra le posséder pour incendie volontaire. Et ce coup de feu ?

— Après, nous avons fait toute la ville pour tâcher de leur remettre la main dessus et nous avons fini par les trouver en fin d'après-midi. Tout d'abord, nous n'étions pas certains de les avoir retrouvés. La seule assurance que nous avions, c'était d'avoir déniché l'appartement de Miss O'Shaughnessy. Nous avons écouté à la porte et nous les avons entendus aller et venir à l'intérieur. Nous avons sonné et nous lui avons dit qui nous étions à travers la porte. Nous avons entendu une fenêtre qui s'ouvrait. Aucun doute possible. Wilmer a donc dégringolé l'escalier pour faire le tour du bâtiment et aller couper la retraite au bas de l'escalier de secours. En débouchant dans l'impasse il est tombé en plein sur le capitaine Jacobi qui filait, le faucon sous le bras. La situation était délicate, mais Wilmer s'en est tiré au mieux. Il a vidé son chargeur sur Jacobi.

» Mais Jacobi était beaucoup trop costaud pour tomber ou lâcher le faucon et trop près pour que Wilmer puisse l'éviter ; il a assommé Wilmer et s'est débiné. C'était en plein jour, n'est-ce pas. Quand Wilmer s'est relevé, un agent arrivait. Il a donc dû abandonner. Il a traversé le bâtiment voisin du Coronet et a réussi à venir nous rejoindre en ayant la chance incroyable de ne pas se faire remarquer.

» Ma foi, monsieur, on se retrouvait une fois de plus le bec dans l'eau. Cependant Miss O'Shaughnessy nous avait laissés entrer après avoir refermé la fenêtre derrière Jacobi et... (Il sourit rétrospectivement.) nous l'avons persuadée — c'est bien le mot — de nous dire que Jacobi emportait le faucon chez vous. Il semblait improbable qu'il y parvienne, même si la police ne le ramassait pas, mais c'était notre seule chance. Donc, une fois de plus, nous avons persuadé Miss O'Shaughnessy de vous téléphoner pour vous faire sortir avant l'arrivée de Jacobi, à la poursuite duquel nous avons envoyé Wilmer. Malheureusement tout cela a pris trop de temps et...

Le gamin, étendu sur le canapé, poussa un grognement et se retourna sur le flanc. A plusieurs reprises il ouvrit et referma les yeux. Brigid s'était levée et était retournée se réfugier dans un coin de la pièce.

— ... Et, acheva Gutman, vous avez eu le faucon avant que nous ayons pu intervenir.

Wilmer posa un pied par terre, se souleva sur un coude, ouvrit tout grand les yeux, posa l'autre pied, se mit sur son séant et regarda autour de lui. Quand son regard se posa sur Spade, il perdit subitement son expression hébétée.

Cairo, quittant son fauteuil, marcha vers le gamin, le prit aux épaules et lui parla doucement. Wilmer se leva soudain, envoya promener Cairo et fixa de nouveau le regard sur le détective.

— Ecoute bien, morveux! dit Spade, assis sur le coin de la table et balançant négligemment les jambes, si tu veux remettre ça, je t'écrase la gueule à coups de tatane. Alors, boucle-la et tiens-toi peinard si t'as envie de grandir.

Le gamin regarda Gutman.

— Eh bien! Wilmer, mon garçon, lui dit Gutman avec un doux sourire, je suis vraiment désolé de te perdre et je tiens à ce que tu saches que je t'aimais comme mon propre fils, mais on peut retrouver un fils... et il n'y a qu'un faucon de Malte!

Spade éclata de rire.

Cairo se rapprocha du gamin et lui chuchota à l'oreille. Wilmer se rassit, les yeux rivés sur Gutman. Le Levantin s'assit auprès de lui.

Gutman soupira et dit à Spade :

— Quand on est jeune on a bien du mal à comprendre certaines choses.

Cairo avait passé son bras autour du cou du jeune homme et murmurait à son oreille. Spade fit un signe de tête à Gutman et se tourna vers Brigid.

— Si tu pouvais nous dénicher quelque chose à bouffer et nous faire un petit caoua, ce serait parfait, on ne peut pas lâcher des invités comme ça.

— Bien sûr, dit-elle, se levant.

— Un instant, ma chère, fit Gutman en levant une main

grassouillette. Ne croyez-vous pas qu'il vaudrait mieux laisser ici l'enveloppe ? Vous pourriez la tacher.

Brigid interrogea Spade du regard.

— Elle lui appartient encore, dit-il d'un ton indifférent. Elle la retira de l'intérieur de son manteau et la tendit à Spade qui la lança sur les genoux de Gutman.

— Posez vos fesses dessus, dit-il, si vous avez peur de la perdre.

— Ne vous méprenez pas, monsieur Spade, répondit Gutman d'une voix suave, mais les affaires sont les affaires.

Il ouvrit l'enveloppe, en tira les billets, les compta et fut secoué d'un gros rire.

— Par exemple ! dit-il, il n'y a plus que neuf billets !

Il les étala sur ses genoux et ses cuisses.

— Il y en avait dix tout à l'heure, quand je vous les ai donnés, comme vous ne l'ignorez pas, reprit-il avec un grand sourire jovial et triomphant.

— Alors ? demanda Spade, en regardant Brigid.

Elle secoua négativement la tête avec énergie, l'air effrayé, elle bougeait doucement les lèvres, mais ne dit rien.

Spade tendit une main ouverte vers Gutman qui y déposa les billets. Spade compta. Il y en avait neuf. Il les rendit à Gutman et ramassa les pistolets sur la table.

— Je veux savoir ce qui s'est passé, dit-il d'une voix menaçante. Nous allons — il montra d'un signe de tête la jeune fille sans la regarder — passer dans la salle de bains. La porte restera ouverte et je me tiendrai tout près. A moins que ça ne vous dise de sauter du troisième, le seul chemin pour sortir d'ici, c'est de passer devant la salle de bains. Alors n'essayez pas de me la faire.

— Il est inutile et peu courtois, protesta Gutman, de nous traiter ainsi. Vous savez bien que nous n'avons aucun désir de nous éclipser.

— J'en saurai un vieux bout tout à l'heure, dit tranquillement Spade. Ce petit tour de passe-passe fout tout en l'air.

Je veux en avoir le cœur net. Ce ne sera pas long. (Il prit la fille par le coude.) Allez, amène-toi.

Dans la salle de bains, Brigid retrouva sa langue.

— Je n'ai pas pris ce billet, Sam, murmura-t-elle, en lui posant les mains sur la poitrine, le visage levé vers lui.

— Je ne crois pas non plus, mais j'ai besoin d'être fixé. Déshabille-toi.

— Tu ne me crois pas ?

— Non, déshabille-toi.

— Non.

— Bien. On va retourner dans l'autre pièce et je te ficherai à poil.

Elle recula, une main sur la bouche, terrifiée.

— Tu feras ça ? dit-elle, entre ses doigts.

— Tu parles. Il faut que je sache où est passé ce billet, et tu ne m'auras pas en jouant les pucelles outragées.

— Il ne s'agit pas de ça, dit-elle, se rapprochant de lui et reposant ses mains sur sa poitrine. Je n'ai pas peur de me mettre nue devant toi, mais... pas comme ça. Tu vas tuer quelque chose entre nous.

— Je m'en fous, dit-il tranquillement. Il faut que je sache où est passé ce billet. Déshabille-toi.

Elle le regarda fixement. Spade ne détourna pas les yeux. Brigid rougit brusquement, puis devint très pâle. Roidie pendant quelques secondes, elle commença à se déshabiller. Assis sur le bord de la baignoire, il la surveillait sans perdre la porte de vue. Aucun bruit ne venait du salon. Elle ôta ses vêtements très vite, sans hésiter, en les laissant tomber à ses pieds. Une fois nue, elle se dégagea d'un pas en arrière et se tint immobile, sûre d'elle-même.

Il posa les pistolets sur le siège de la toilette et, face à la porte, il mit un genou à terre et fouilla l'une après l'autre les frusques de Brigid, des yeux et des doigts. Il ne trouva pas le billet de mille dollars. Alors, il se leva et lui tendit ses affaires.

— Merci, dit-il, maintenant je suis fixé.

Elle lui prit ses vêtements des mains sans mot dire. Il ramassa les flingues et sortit de la salle de bains sans se retourner, fermant la porte derrière lui.

— Vous l'avez retrouvé? demanda Gutman souriant aimablement de son rocking-chair.

Cairo, assis près de Wilmer sur le canapé, lança à Spade un regard interrogateur. Le gamin ne leva pas les yeux. Penché en avant, la tête dans les mains, les coudes aux genoux, il considérait fixement le parquet.

— Je ne l'ai pas retrouvé, dit Spade à Gutman. Vous l'avez piqué.

— Piqué? dit Gutman en gloussant.

— Oui, affirma le détective, jouant avec les pistolets. Vous l'admettez ou vous voulez y passer aussi?

— Y passer?

— Vous l'avouez ou je vous fouille, dit Spade ; il n'y a pas d'autre solution.

Gutman regarda un instant le visage immobile et fermé de Spade, puis éclata de rire.

— Bon Dieu, monsieur, s'écria-t-il, vous en seriez capable. Vous êtes un vrai phénomène, sans offense!

— Vous l'avez piqué?

— Oui, monsieur, c'est un fait.

Gutman tira de la poche de son gilet la coupure froissée et l'aplatit soigneusement sur sa cuisse. Puis il reprit l'enveloppe et joignit le dixième billet aux neuf autres.

— Il faut bien s'amuser un peu de temps en temps, dit-il. J'étais curieux de voir comment vous vous tireriez de là. Je dois dire que vous avez passé l'examen brillamment, monsieur. Il ne m'est pas une seconde venu à l'idée que vous auriez recours à une méthode aussi simple et directe pour découvrir la vérité.

Spade ricana sans amertume.

— C'est un coup qu'on peut faire à l'âge de la petite lopette, dit-il.

Brigid O'Shaughnessy, rhabillée, mais sans manteau ni chapeau, sortit de la salle de bains, fit un pas vers le salon, se ravisa, fit demi-tour, entra dans la cuisine et alluma la lumière.

Cairo se rapprocha de Wilmer et murmura à son oreille. Le gamin haussa les épaules d'un air irrité.

Spade regarda un instant les pistolets, puis Gutman et sortit dans le couloir où il ouvrit un placard. Il déposa les armes sur le sommet d'une malle, referma le placard, mit la clef dans sa poche et s'arrêta à la porte de la cuisine.

Brigid emplissait d'eau la cafetière d'aluminium.

— Avez-vous trouvé quelque chose ? demanda Spade.

— Oui, fit-elle d'un ton froid, sans lever la tête.

Elle posa la cafetière sur le feu et marcha vers la porte. Elle rougit, les yeux pleins de larmes.

— Tu n'aurais pas dû faire ça, Sam ! dit-elle doucement.

— Il fallait régler la question, mon chou, murmura-t-il.

Il se pencha, l'embrassa légèrement sur les lèvres, puis retourna dans le salon.

Gutman, souriant, lui tendit l'enveloppe.

— Elle sera bientôt à vous ; autant la prendre tout de suite, fit-il.

Spade ne la prit pas.

— Nous avons tout le temps, dit-il en s'asseyant. Revenons à la question finances. Je devais toucher plus de dix mille dollars.

— Dix mille dollars, c'est une belle somme, répondit Gutman.

— Vous citez mes propres paroles, dit Spade, mais enfin, ce n'est pas tout le fric du monde.

— Non, certes, monsieur, je vous l'accorde, mais c'est une belle somme par rapport au temps et à la facilité avec laquelle vous l'avez ramassée !

— Vous croyez que c'était si facile que ça, dit Spade, haussant les épaules. Peut-être, ça se peut, après tout, mais c'est mes oignons !

— Certainement, approuva Gutman.

Il ferma à demi les yeux et montra la cuisine d'un signe de tête.

— Vous partagez avec elle ? murmura-t-il.

— C'est également mes oignons, répondit Spade.

— Certainement, répéta Gutman, mais... je voudrais vous donner un petit conseil.

— Allez-y.

— Admettons que vous lui remettiez une partie de la somme ; si cette partie ne correspond pas à ce qu'elle escomptait, méfiez-vous !

Une lueur moqueuse s'alluma dans les yeux de Spade.

— Elle est garce ? demanda-t-il.

— Et comment ! répliqua Gutman.

Spade sourit et se mit à rouler une cigarette.

Cairo marmonnait toujours à l'oreille de Wilmer ; un bras autour des épaules du gamin. Brusquement, celui-ci le bouscula et se tourna pour lui faire face ; il avait l'air excédé et dégoûté. Il serra le poing et frappa Cairo à la bouche. Le Levantin poussa un cri aigu de femme et recula à l'autre extrémité du canapé. Il tira un mouchoir de soie de sa poche et se tamponna les lèvres, puis il le retira taché de sang. Il le reporta à sa bouche et regarda le jeune homme d'un air de reproche.

— Foutez-moi la paix ! ricana Wilmer qui enfouit de nouveau sa tête entre ses mains.

Une odeur de chypre s'était répandue dans la pièce.

Brigid, attirée par le cri de Cairo, se tenait debout sur le seuil de la porte. Spade lui montra du doigt les deux hommes.

— L'amour parfait ! ricana-t-il. On bouffe bientôt ?

— Ça vient, dit-elle, tournant sur ses talons ; puis elle repartit vers la cuisine.

Spade alluma sa cigarette et se tourna vers Gutman.

— Reparlons finances ! dit-il.

— Avec plaisir, monsieur, mais laissez-moi vous dire

tout de suite que je ne puis disposer en ce moment de plus
de dix mille dollars.

— Je devais en toucher vingt, répliqua Spade en lâchant
une bouffée de fumée.

— Ça serait bien volontiers, mais je ne dispose pas d'un
cent de plus, je vous en donne ma parole. Bien entendu, ceci
ne constitue que le premier versement. Plus tard...

— Je sais, interrompit Spade en riant, plus tard vous me
verserez des millions, mais n'anticipons pas. Quinze mille ?

Gutman sourit, fronça les sourcils et secoua la tête :

— Monsieur Spade, je vous ai dit très franchement, et en
vous donnant ma parole d'honneur que je n'ai pas un *cent*
de plus que dix mille dollars.

— Vous avez dit « franchement », mais pas « positivement », insista le détective.

— Alors, positivement, dit Gutman, souriant.

— Enfin, soupira Spade, ça n'est vraiment pas terrible,
mais si vous ne pouvez pas mieux faire, donnez toujours.

Il prit l'enveloppe, compta les billets et les fourrait dans
sa poche quand Brigid entra avec un plateau.

*

Wilmer refusa de rien prendre. Cairo accepta une tasse de
café. Brigid, Gutman et Spade expédièrent de bon appétit
les œufs brouillés, le bacon, les toasts et la marmelade.

Ils burent chacun deux ou trois tasses de café et s'installè-
rent pour passer le reste de la nuit.

Gutman alluma un cigare et ouvrit : *Les causes criminelles célèbres.* Par intervalles, il gloussait ou commentait un
passage intéressant. Cairo, un mouchoir sur les lèvres,
boudait à l'extrémité du canapé. Wilmer demeura immobile, la tête dans les mains, jusque vers quatre heures. Puis
il s'allongea, les pieds du côté de Cairo et s'endormit.
Brigid, dans le fauteuil, somnolait, écoutait les commen-

taires de Gutman ou causait avec Spade de choses et
d'autres.

Le détective roulait et fumait des cigarettes et faisait
tranquillement les cent pas dans la pièce. Parfois il s'as-
seyait sur le bras du fauteuil de Brigid, ou sur le coin de la
table, ou sur le parquet à ses pieds, ou sur une chaise ; il
restait bien éveillé et en pleine forme.

A cinq heures et demie, il alla dans la cuisine refaire du
café. Une demi-heure plus tard, Wilmer se réveilla et s'assit
en bâillant. Gutman regarda sa montre.

— Pouvez-vous l'avoir maintenant ? demanda-t-il à
Spade.

— Donnez-moi encore une heure.

Gutman fit oui de la tête et reprit son livre.

A sept heures, Spade décrocha le récepteur du téléphone
et fit le numéro d'Effie Perine.

— Allô ! Madame Perine ? Ici M. Spade. Pouvez-vous me
passer Effie, s'il vous plaît ?... Oui... merci (Il sifflota deux
mesures d'*En Cuba.*) Allô ! fillette ; désolé de te tirer du
pieu. Oui, très, voilà la combine. Va à la poste, ouvre la
boîte postale ; tu y trouveras une enveloppe dont j'ai écrit
l'adresse. A l'intérieur, tu trouveras un bulletin de consigne
de la gare de Pickwick. C'est le paquet d'hier. Prends-le et
amène-le-moi... Oui, ici, chez moi. Oui en vitesse. Tu es une
fille au poil. 'Voir !

Le timbre résonna à huit heures moins dix. Spade se leva
pour presser le bouton qui commandait l'ouverture de la
porte du rez-de-chaussée. Gutman posa son livre et se leva
en souriant.

— Voyez-vous un inconvénient à ce que je vous accompagne jusqu'à la porte ? demanda-t-il, mielleux

— Ça va, aucun, dit Spade

Gutman le suivit dans le couloir Spade ouvrit la porte.
Effie Perine sortait de l'ascenseur, le paquet sous le bras,
l'air réjoui. Elle fit quelques pas rapides, jeta un bref regard
sur Gutman, sourit à Spade et lui remit le paquet.

— Merci, cocotte, dit-il, et navré de gâcher ton dimanche, mais c'est...

— Ce n'est pas la première fois, répondit-elle en riant ; puis, quand elle comprit qu'il n'insisterait pas pour qu'elle entrât :

» C'est tout ? fit-elle.

— C'est tout, merci.

Elle lui dit au revoir et regagna l'ascenseur. Spade referma la porte, revint dans le salon et posa le paquet sur la table. Le visage de Gutman était cramoisi et ses joues tremblaient. Cairo et Brigid s'étaient rapprochés d'un air excité. Wilmer, pâle et tendu, resta planté près du sofa, les observant sous ses longs cils recourbés.

— Et voilà ! dit Spade en reculant d'un pas.

Les doigts épais de Gutman firent voltiger la ficelle, le papier et la sciure.

— Ah ! fit-il éperdu, l'oiseau noir entre les mains, après dix-sept ans !

Ses yeux étaient humides.

Cairo se lécha les lèvres en se frottant les mains. Brigid se mordillait la lèvre inférieure.

Ils étaient tout haletants. L'atmosphère épaisse de la pièce était lourde de fumée de tabac refroidie.

Gutman posa le faucon sur la table et fouilla dans sa poche.

— C'est bien ça, dit-il, mais nous allons nous en assurer.

Des gouttes de sueur perlaient sur ses joues rondes Il ouvrit son canif en or avec des doigts tremblants.

Cairo et Brigid l'encadraient ; Spade se tenait en retrait. Il surveillait à la fois le groupe et Wilmer.

Gutman retourna l'oiseau noir et gratta un coin du socle avec la lame de son canif. De minces copeaux d'émail s'enroulèrent découvrant le métal noirci. L'acier mordit le métal, ôta une lamelle fine, laissant voir une trace fraîche et blafarde, de la couleur terne du plomb.

La respiration de Gutman siffla. Il devint écarlate,

retourna l'oiseau et entama la tête. Là aussi il mit le plomb
à nu. Alors, il lâcha la statuette et le canif et se tourna vers
Spade.

— Il est faux! dit-il d'une voix rauque.

Le visage de Spade s'assombrit. Il hocha lentement la
tête, mais, en un geste vif, il avait saisi le poignet de Brigid.
Il tira la jeune fille en avant, lui prit le menton et lui releva
brutalement la tête.

— Suffit comme ça, gronda-t-il. Tu as réussi ta mise en
boîte. Maintenant accouche!

— Non, Sam, non! cria-t-elle. C'est celui de Kemidov, je
jure...

Joel Cairo se glissa entre Spade et Gutman.

— C'est ça! c'est bien ça! cria-t-il avec volubilité, c'est le
Russe! J'aurais dû me méfier! Nous l'avons pris pour un
imbécile et il nous a bien possédés.

Des larmes se mirent à couler sur ses joues, tandis qu'il
trépignait.

— Vous avez tout fait foirer! hurla-t-il à Gutman, vous et
votre idée idiote d'essayer d'acheter! Espèce de grosse
cloche! Vous lui avez mis la puce à l'oreille, il a découvert
ce qu'il valait et il a fait faire une copie. Pas étonnant qu'on
l'ait volé si facilement. Pas étonnant qu'il m'ait si volontiers envoyé faire le tour du monde pour le trouver! Espèce
d'imbécile! Espèce de pauvre crétin!

Il prit sa tête entre ses mains et se mit à chialer.

Gutman demeurait stupide, la mâchoire tombante, clignant des yeux. Soudain, il sursauta et parut recouvrer son
sang-froid, redevenant un gros homme jovial.

— Allons, allons, dit-il; il est inutile de se frapper comme
ça. Tout le monde peut se tromper et je vous garantis que le
choc est plutôt rude pour moi aussi. C'est évidemment le
Russe qui nous a roulés. Eh bien! qu'en pensez-vous. Va-t-
on rester là à se lamenter et à s'injurier? Ou bien... (il fit un
sourire angélique)... repartons-nous pour Constantinople?

Cairo ôta ses mains de son visage, les yeux hors de la tête

— Vous allez... bégaya-t-il, si ahuri à mesure qu'il pigeait, qu'il resta sans voix.

Gutman se frotta les mains. Ses petits yeux noirs luisaient.

— Je veux et cherche ce petit objet depuis dix-sept ans, ronronna-t-il complaisamment d'une voix de gorge, s'il faut encore mettre un an, disons (ses lèvres firent un calcul silencieux) qu'il s'agit d'une dépense supplémentaire de temps de $515/17^e$ pour cent.

— Je vous accompagne, s'écria le Levantin.

Spade lâcha brusquement le poignet de Brigid et se retourna. Wilmer avait disparu. Le détective courut dans le couloir : la porte du palier était ouverte. Spade fit une grimace, repoussa le battant et revint dans le salon. Appuyé au cadre de la porte, il observa longuement Gutman et Cairo d'un air revêche, puis, imitant le ronronnement du gros homme, il dit :

— Eh bien! messieurs, voilà un joli lot de voleurs à la manque, je dois dire.

Gutman se mit à glousser.

— En effet, dit-il, il n'y a pas de quoi se vanter, monsieur, mais nous sommes tous là, bien vivants et ça ne sert à rien de croire que c'est la fin des haricots parce qu'on a pris un peu de retard.

Il tendit à Spade sa main gauche ouverte, la paume en l'air.

— Je suis obligé de vous redemander l'enveloppe, monsieur, dit-il.

Spade ne bougea pas. Son visage était de bois.

— J'ai fait mon boulot, dit-il. Vous avez l'oiseau. S'il est faux, je n'y suis pour rien.

— Allons, allons, fit Gutman, d'un ton persuasif, nous nous sommes trompés et je ne puis être seul à en supporter les conséquences.

Il démasqua sa main droite qu'il avait gardée derrière le

dos. Elle serrait un minuscule pistolet. Un joujou incrusté d'or, d'argent et de nacre.

— En bref, monsieur, je vous prie de me rendre mes dix mille dollars.

Spade resta impassible. Il haussa les épaules, tira l'enveloppe de sa poche, la tendit à Gutman, puis, se ravisant soudain, il l'ouvrit et prit un billet de mille dollars.

— Pour mes frais et la perte de temps, dit-il en l'empochant.

Il replia le rabat de l'enveloppe sur les autres billets avant de la tendre à Gutman.

Gutman hésita, haussa également les épaules e⁺ accepta l'enveloppe.

— Et maintenant, monsieur, dit-il, nous allons nous séparer, à moins que (ses yeux bouffis se plissèrent) vous consentiez à nous accompagner à Constantinople. Non ? Franchement, monsieur, j'aurais aimé vous voir des nôtres Vous êtes un homme selon mon cœur, plein de ressources, courageux et... raisonnable. C'est pourquoi je sais que vous garderez pour vous les détails de notre petite entreprise. Nous sommes convaincus que, dans la situation actuelle, vous réalisez parfaitement que les petits ennuis qui pourraient surgir pour nous vis-à-vis de la loi, à propos de ces derniers jours ricocheraient sur vous et sur la charmante Miss O'Shaughnessy. Vous êtes trop intelligent pour ne pas le comprendre, j'en suis assuré.

— Je réalise, dit Spade.

— Je suis également persuadé, maintenant qu'il n'y a pas d'autre solution, que vous vous débrouillerez avec la police sans bouc émissaire.

— Je m'en tirerai très bien, dit Spade.

— J'en étais certain. Eh bien, monsieur, les adieux les plus brefs sont les plus sincères. Adieu. (Il s'inclina.) Adieu, Miss O'Shaughnessy. Je vous laisse l'oiseau rare en souvenir.

XX

SI ON TE PEND

Après que la porte de l'appartement se fut refermée sur Casper Gutman et Joel Cairo, Spade demeura plusieurs minutes immobile les yeux fixés sur le bouton de la porte du séjour. Ses yeux étaient sombres et deux sillons profonds se creusaient entre ses sourcils. Les lèvres serrées, il se dirigea vers le téléphone sans regarder Brigid O'Shaughnessy qui se tenait près de la table et l'observait d'un air anxieux.

Il prit le téléphone, le reposa sur son étagère, puis se pencha pour consulter l'annuaire suspendu dans un angle. Il le feuilleta rapidement, s'arrêta à la page qu'il voulait, fit glisser son doigt le long d'une colonne, se redressa et reprit le téléphone. Il demanda un numéro :

— Allô ? Le sergent Polhaus est là... Voulez-vous l'appeler... Ici, Samuel Spade.

Il attendit, les yeux fixés dans le vide.

— Allô, Tom ? J'ai quelque chose pour toi... Tu parles ! Voilà ! Thursby et Jacobi ont été butés par un gosse qui s'appelle Wilmer Cook. (Il le décrivit avec soin.) Il travaille pour un nommé Casper Gutman. (Il décrivit Gutman.) Cairo, le type que tu as vu chez moi est dans le coup. C'est ça... Gutman est à l'Alexandria, appartement *12C*, s'il n'a pas encore filé ! Ils sortent d'ici. Grouille-toi. Cependant, je ne crois pas qu'ils s'attendent à se faire cueillir... Il y a une fille aussi, la fille de Gutman. (Il décrivit Rhea.) Fais gaffe en arrêtant le gosse. Il est chatouilleux de la gâchette. Oui. J'ai du matériel pour toi, les flingues avec lesquels il a descendu les deux gars... Entendu. En vitesse ! Bonne chance.

Spade raccrocha lentement, reposa le téléphone sur
l'étagère. Il s'humecta les lèvres et regarda ses mains : les
paumes étaient humides. Il respira profondément. Ses
yeux, grands ouverts, étincelaient. Il tourna sur ses talons
et fit trois pas rapides vers l'intérieur de la pièce.

Brigid sursauta, surprise, et poussa un cri qui s'acheva en
un rire étouffé.

Spade, tout contre elle, la dominait de sa haute taille. Il
souriait, froidement, le regard dur.

— Ils parleront, dit-il, ils parleront quand ils seront
bouclés. Sur nous. On a de la dynamite sous les fesses. Allez,
accouche ! Vite ! On a juste le temps de monter un bateau
pour les flics. Gutman vous avait envoyés, Cairo et toi, à
Constantinople ?

Elle hésita et mordit sa lèvre.

— Parle, bon Dieu ! fit-il en la secouant par l'épaule. Je
suis dans le bain comme toi et tu ne vas pas me mettre les
bâtons dans les roues. Alors il t'a envoyée à Constantinople ?

— Oui. J'y ai rencontré Joel... Je lui ai demandé de
m'aider...

— A prendre le faucon à Kemidov ?

— Oui.

— Pour Gutman ?

Elle hésita de nouveau, puis se troubla sous le regard
impitoyable de Spade.

— Non, murmura-t-elle. Nous pensions le garder pour
nous.

— Bon, après ?

— Après, j'ai eu peur d'être trahie par Joel... et j'ai
demandé à Floyd Thursby de m'aider.

— Il l'a fait. Après ?

— Après, nous sommes partis pour Hong-Kong avec le
faucon.

— Avec Cairo ? ou vous l'aviez déjà semé ?

— On l'avait laissé à Constantinople, en prison — une histoire de faux chèque.

— Une histoire que vous aviez arrangée ?

— Oui, murmura-t-elle gênée.

— Bien. Vous êtes donc à Hong-Kong, Thursby, toi et l'oiseau ?

— Oui. Alors, je ne savais encore si je pouvais me fier à Floyd : je ne le connaissais pas très bien. Je pensais qu'il serait plus sûr... Toujours est-il que j'ai fait la connaissance de Jacobi ; je savais que son bateau venait ici. Je lui ai demandé de se charger d'un paquet. Je craignais d'être trahie par Thursby et que Joel ou quelqu'un travaillant pour Gutman soit à bord du bateau qui nous amenait...

— Bon. Vous avez pris ce courrier rapide, toi et Thursby. Ensuite ?

— Ensuite j'ai eu peur de Gutman. Je savais qu'il avait des relations partout et qu'il serait vite au courant de ce qu'on avait fait et de notre départ de Hong-Kong pour San Francisco. Il était à New York et je savais que s'il était renseigné par télégramme il aurait tout le temps de s'amener pour nous recevoir. Ça n'a pas raté. Je l'ignorais alors mais je le craignais et je devais attendre ici l'arrivée du bateau du capitaine Jacobi. J'avais peur aussi que Gutman ne me trouve ou trouve Floyd et ne l'achète. C'est pour ça que je suis venue te demander de le surveiller...

— Tu mens ! coupa Spade. Tu tenais Thursby jusqu'à la gauche. Ce type se faisait posséder par les femelles. Son dossier parle pour lui. Il s'est toujours fait poisser pour des bonnes femmes. Et cette race-là, ça ne change pas. Tu ne savais peut-être pas ça, mais tu le tenais !

Elle le regarda en rougissant.

— Tu voulais le liquider avant l'arrivée de Jacobi. Qu'est-ce que tu avais combiné ?

— Je savais qu'il avait filé des Etats-Unis avec un joueur qui avait eu des ennuis. Je ne savais pas de quoi il s'agissait, mais je me doutais que, si c'était sérieux et qu'il s'apercevait qu'on le filait, il aurait les foies et se débinerait. Je ne pensais pas...

— Tu l'as prévenu qu'on le filait, interrompit Spade d'un ton assuré. Miles n'était pas très fort, mais assez malin pour ne pas se faire repérer le premier jour.

— Oui, je l'ai prévenu, quand on est sortis ce soir-là. J'ai fait semblant de repérer Archer et je l'ai montré à Floyd. (Elle eut un sanglot.) Mais crois-moi, Sam, je t'en prie, je ne l'aurais pas fait si j'avais pu croire que Floyd le descendrait. Je pensais qu'il prendrait peur et quitterait la ville. Il ne m'est pas venu une seconde à l'idée qu'il l'abattrait.

Spade sourit du bout des lèvres.

— Tu avais raison de penser qu'il ne le descendrait pas, mon chou, dit-il.

Elle leva vers lui un visage surpris.

— Thursby n'a pas tué Miles, précisa-t-il.

L'incrédulité se mêla à l'étonnement sur le visage de Brigid.

— Miles n'était pas très fort, bon Dieu! reprit Spade, mais il avait trop d'expérience du métier pour se faire poisser comme ça par le type qu'il filait dans une ruelle obscure, le pardessus boutonné et le pétard en poche. Pour ça, zéro! Il avait une bonne dose normale de connerie — sans plus — les deux bouts de la ruelle pouvant se surveiller de Bush Street. Tu nous as dit que Thursby était mauvais acteur. Il n'a pas pu le posséder comme ça, ni même le faire entrer dans la ruelle. Il était gourde, mais pas à ce point-là.

Il passa sa langue sur ses lèvres et fit un sourire tendre à Brigid.

— Mais, reprit-il, il serait bien allé dans ce coin sombre avec toi, s'il avait été sûr d'être seul. Tu étais sa cliente et il n'avait aucune raison de ne pas abandonner sa filature si tu le lui demandais. Il était juste assez con pour faire ça. Il a dû te zyeuter de haut en bas en se léchant les babouines et en se fendant la pipe, tu t'es collée contre lui et tu lui as troué la peau avec le pétard que t'avais piqué à Thursby dans la soirée.

Brigid O'Shaughnessy recula et ne s'arrêta que contre le bord de la table. Elle regarda Spade d'un air terrifié et cria :

— Non, Sam, non ! Ne dis pas ça, tu sais que ce n'est pas vrai ! Tu sais...

— Ferme ça ! coupa-t-il, regardant sa montre. Les flics seront là dans une minute. On est en plein sur la dynamite. Accouche !

Elle passa une main sur son front.

— Oh ! gémit-elle, pourquoi m'accuses-tu d'une aussi terrible...

— Tu vas la fermer ! cria-t-il hargneux. C'est pas le moment de jouer les oies blanches. Ecoute bien. On est tous les deux sous la potence. Vide ton sac.

Il l'avait prise aux poignets et la maintenait debout devant lui.

— Comment... comment... sais-tu qu'il... qu'il se léchait les lèvres et... bégaya-t-elle, tandis qu'il la regardait en souriant.

— Je le connaissais, ricana-t-il. S'agit pas de ça. Pourquoi l'as-tu descendu ?

Elle dégagea ses poignets et, passant ses bras autour du cou de Spade, elle abaissa la tête du détective jusqu'à ce que leurs lèvres fussent sur le point de se toucher. Elle se plaqua contre lui des genoux à la poitrine. Ses paupières bordées de longs cils noirs voilaient à demi ses yeux de velours. Il l'étreignit.

— D'abord, je ne voulais pas, dit-elle d'une voix chevrotante. C'est vrai, je voulais faire comme je t'avais dit, mais quand j'ai vu que Floyd n'avait pas peur...

Spade lui tapota l'épaule du plat de la main.

— Tu mens, dit-il. Tu nous as demandé de nous occuper personnellement de l'affaire — l'un ou l'autre. Tu voulais être sûre que le type qui filerait Thursby était quelqu'un que tu connaîtrais et qui te connaîtrait. Tu as demandé le pétard à Thursby. Tu avais déjà retenu l'appartement du Coronet. Tes bagages y étaient et tu n'avais rien à l'hôtel. Quand j'ai visité l'appartement, j'ai trouvé un reçu vieux d'une semaine.

Elle avala avec difficulté, et dit humblement :

— Oui, j'ai menti, Sam ! J'avais l'intention de le tuer, si Floyd... Je ne veux pas te dire ça en te regardant, Sam !

Elle attira la tête de Spade, colla sa joue contre la sienne et murmura à son oreille :

— Je savais que Floyd n'aurait pas peur, mais je pensais que, s'il se voyait filé, il n'hésiterait pas... Oh ! je ne peux pas, Sam !

Elle sanglotait accrochée à son cou.

— Tu pensais que Floyd lui sauterait dessus et que l'un des deux y resterait. Si c'était Thursby, tu en étais débarrassée. Si c'était Miles, tu t'arrangeais pour faire coincer Floyd. C'est bien ça ?

— Presque.

— Et quand tu as compris que Thursby ne réagirait pas, tu lui as emprunté le feu et tu as fait le boulot toi-même, c'est ça ?

— Oui, pas tout à fait !

— Pas tout à fait, mais presque, hein ? Tu y songeais depuis longtemps, tu étais sûre que Floyd se ferait épingler pour le meurtre.

— Je... je croyais qu'on le garderait en prison assez longtemps pour permettre à Jacobi d'arriver avec le faucon et...

— Et tu ignorais alors que Gutman était ici et te courait après ! Sinon tu n'aurais pas balancé ton tueur. Tu as su que Gutman était là dès que tu as appris que Thursby s'était fait descendre. Tu avais besoin d'un autre protecteur et tu as pensé à moi. C'est ça ?

— Oui, mais... oh, chéri ! ce n'est pas seulement ça. Je

serais revenue à toi quand même. La première fois que je t'ai vu... j'ai bien senti...

— Chérie ! coupa Spade d'une voix tendre. Enfin, si le jury n'est pas trop coriace, tu sortiras de San Quentin dans une vingtaine d'années et tu viendras me retrouver.

Elle s'écarta et le regarda sans comprendre. Il était très pâle.

— J'espère bien qu'on ne te pendra pas, mon chou, dit-il tendrement. Avec un si joli cou !

Il lui caressa le haut de la gorge du bout des doigts.

Elle bondit en arrière, acculée à la table et se pencha en avant, les mains croisées sur sa gorge, les yeux hagards. Sa bouche sèche s'ouvrait et se fermait.

— Tu ne vas pas... dit-elle d'une voix rauque.

Elle ne put achever sa phrase.

Le visage de Spade était devenu jaunâtre. Un sourire étirait sa bouche et accusait les pattes d'oie à l'angle de ses yeux brillants.

— Je vais te remettre aux flics, dit-il d'une voix douce, tu récolteras la taule à vie. Autrement dit, tu sortiras dans vingt ans. Je t'attendrai mon chou. (Il s'éclaircit la gorge.) Si on te pend, je ne t'oublierai jamais.

Elle baissa les bras et se tint toute droite. Son visage redevint lisse et paisible. Seule, une lueur de doute couvait dans son regard. Elle sourit.

— Ne dis pas ça, Sam, même pour rigoler. Tu m'as fait tellement peur. J'ai vraiment cru un moment... Tu sais, il t'arrive d'agir de façon tellement imprévisible que...

Elle s'interrompit et le regarda avidement. Ses joues et ses lèvres tremblaient. La terreur revint dans ses yeux.

— Quoi ? Sam !

Elle croisa de nouveau ses mains sur sa gorge et s'affaissa.

Spade se mit à rire. Son visage cireux était mouillé de sueur. Il souriait encore, péniblement, mais sa voix perdait sa douceur.

— Sois pas idiote, dit-il d'un ton rauque. Il faut que l'un de nous deux écope après toutes les salades que ces zigotos vont raconter. Moi, on me pendrait à tous les coups. Toi, tu passeras au travers. Alors ?

— Mais Sam, c'est impossible ! Après ce que nous avons été l'un pour l'autre ! Tu ne peux pas...

— Ça me ferait mal...

— Tu t'es servi de moi ! s'écria-t-elle. Tu disais que tu m'aimais. C'était un piège. Tu t'en fichais bien. Tu... ne m'aimes pas ?..

— Je crois que si, dit-il. Et après ?

Son sourire figé lui tendait la figure comme une peau de tambour.

— Je ne m'appelle ni Thursby ni Jacobi, dit-il. Je ne suis pas un cave dans leur genre.

— Ce n'est pas juste, cria-t-elle, les yeux soudain remplis de larmes. Tu sais que c'est faux ! Tu n'as pas le droit...

— Ça me ferait mal, répéta-t-il. Tu t'es fourrée dans mon lit pour éviter de répondre à mes questions. Tu m'as attiré hier chez Gutman avec cet appel au secours bidon. Hier soir, tu es venue avec eux, tu m'as attendu dehors et tu es entrée avec moi. Tu étais dans mes bras quand le piège a fonctionné. Même si j'avais eu un feu, j'étais incapable de le sortir. Et s'ils ne t'ont pas emmenée avec eux, c'est que Gutman est trop malin pour se fier à toi, sauf pour des petites combines de passage et qu'il a cru que je me ferais poisser pour tes beaux yeux et que je la bouclerais.

Brigid essuya ses larmes, fit un pas vers lui et le regarda dans les yeux, fièrement.

— Tu m'as traitée de menteuse, dit-elle, c'est toi qui mens. Tu mens si tu prétends que tu ne sais pas, dans le fond de ton cœur, que je t'aime.

Il s'inclina, très raide. Ses prunelles s'injectèrent de sang, mais son visage cireux et souriant n'avait pas changé d'expression.

— Peut-être fit-il. Et après ? Dois-je te faire confiance,

après le sort que tu as réservé à mon... mon prédécesseur, Thursby, à Miles, un type qui ne t'avait rien fait, que tu as buté de sang-froid comme on écrase une mouche uniquement pour faire posséder Thursby ? Toi qui as doublé Gutman, Cairo, Thursby : un, deux, trois ? Toi qui n'as jamais été régulière avec moi plus de cinq minutes depuis qu'on se connaît ? Non, mon chou, je ne marcherais pas, même si je pouvais. Pourquoi le ferais-je ?

— Pourquoi ? répondit-elle d'une voix basse mais ferme et sans baisser les yeux. Si tu t'es moqué de moi, si tu ne m'aimes pas, il n'y a pas de réponse à cette question. Si tu m'aimais, il n'y en aurait pas besoin.

Le sourire de Spade s'était transformé en une pénible grimace. Il s'éclaircit la gorge.

— Inutile de faire des laïus maintenant, dit-il.

Il posa sur l'épaule de Brigid une main qui tremblait.

— Aime qui veut, murmura-t-il. Moi, je m'en fous, je ne serai pas le pigeon. Je ne prendrai pas la suite de Thursby et d'une flopée d'autres. Tu as descendu Miles. Il faut payer. J'aurais peut-être pu t'en tirer en laissant filer les autres et en faisant mon possible pour égarer la police, mais maintenant il est trop tard. Je ne peux plus t'aider. Et je ne le ferais pas si je pouvais.

Elle mit une main sur celle de Spade toujours posée sur son épaule.

— Ne m'aide pas, alors, chuchota-t-elle, mais ne me fais pas de mal. Laisse-moi partir.

— Non. Si je ne te refile pas à la police, je suis cuit. C'est la seule chose qui puisse m'éviter de plonger avec les autres.

— Tu ne veux pas faire ça pour moi ?

— Je ne veux pas être une poire pour toi.

— Ne parle pas comme ça, Sam, dit-elle prenant la main du détective et l'appuyant contre sa joue. Pourquoi faut-il que tu me fasses ça à moi, Sam ? Archer ne comptait tout de même pas autant pour toi que...

— Miles, interrompit Spade d'une voix rauque, était un salaud. Je m'en suis aperçu dès la première semaine de notre association et j'avais bien l'intention de le vider à la fin de l'année. Ça ne me fait ni chaud ni froid que tu l'aies descendu.

— Alors?

Spade retira sa main. Il ne souriait ni ne grimaçait plus. Son visage couvert de sueur, sillonné de rides, s'était fermé.

— Ecoute-moi bien, dit-il, les yeux luisants, ça ne servira à rien et tu ne pigeras pas, mais je vais essayer une dernière fois de t'expliquer. Quand l'associé d'un bonhomme se fait buter, c'est le boulot de son partenaire de dénicher l'assassin. Ce qu'on pouvait penser de lui on s'en fout; c'est ton associé et il faut se démerder. Par-dessus le marché, il se trouve qu'on était détectives. Laissez filer le criminel, c'est salement moche dans la profession, moche pour toute la corporation. Troisièmement, je suis détective. Me demander de ne pas remettre un coupable à la police, c'est comme si on demandait à un cabot d'attraper un lapin pour le lâcher aussitôt. Ça arrive, bien sûr, mais c'est pas naturel. La seule façon que j'avais de te laisser filer c'était de laisser le champ libre aux trois autres.

— Tu n'es pas sérieux! coupa Brigid. Tu ne veux pas me faire croire que ces raisons sont suffisantes pour m'envoyer...

— Attends que j'aie fini et après tu pourras parler. *Quarto :* peu importe ce que j'avais envie de faire, maintenant il me serait absolument impossible de te laisser aller sans me fourrer dans le bain comme les autres. Ensuite, je n'ai pas l'ombre d'une raison de me fier à toi et si je marchais et que je m'en sortais, tu pourrais me faire cavaler. Ça fait cinq. Sixième point : comme je te tiens aussi, rien ne me dit que tu ne décideras pas un de ces jours de me faire la peau. Sept : même à cent contre un, l'idée que tu me prennes pour un cave me débecte. Huit : mais ça suffit comme ça. Tout ça d'un côté. Il y en a qui ne pèsent pas lourd, mais il y a le nombre...

» De l'autre côté, qu'est-ce qu'on trouve ? Tu m'aimes : c'est pas sûr, et je t'aime : c'est pas sûr non plus !

— Tu dois savoir si tu m'aimes oui ou non, murmura-t-elle.

— Non. Evidemment c'est facile de se monter la tête pour une fille comme toi !

Il la regarda avidement, de la tête aux pieds et ses yeux revinrent se poser sur ceux de la jeune fille.

— Et en admettant... qu'est-ce que ça donne ? Supposons que je sois emballé, reprit-il. Ça durerait combien ? Un mois ? Je suis déjà passé par là... enfin, que ça dure aussi longtemps que ça. Et alors, j'aurais l'air d'une poire et je paierais les pots cassés. Pour le coup, je serais sûr d'être le pigeon. Si je te fais poisser, ça me fichera un coup, d'accord, et je passerai quelques sales nuits mais ça se tassera. Ecoute-moi.

Il la prit aux épaules.

— Si tout ça ne te suffit pas, dit-il, penché sur elle, n'en parlons plus et voilà une raison qui vaut toutes les autres. Je ne marche pas, parce que je crève d'envie de risquer le coup et de me foutre des conséquences, et parce que, bon Dieu ! tu comptais bien me voir flancher comme les autres !

Il laissa retomber ses bras. Elle l'attira de nouveau contre elle.

— Regarde-moi, dit-elle, et parle franchement. Tu m'aurais traitée comme ça si le faucon avait été vrai et que tu avais reçu le fric ?

— Qu'est-ce que ça fout ? répondit-il. D'ailleurs faut pas me croire tellement pourri. Mais ce genre de réputation arrange les affaires : ça amène des boulots bien payés et ça facilite les tractations avec l'adversaire.

Elle le regarda sans rien dire. Il haussa légèrement les épaules.

— Au fond, ajouta-t-il, ce fric aurait finalement pesé dans l'autre plateau de la balance, celui qui te condamne.

— Si tu m'aimais, reprit-elle, son visage contre le sien, les lèvres entrouvertes, si tu m'aimais, le reste ne compterait pas.

Il serra les mâchoires et dit entre ses dents :

— Je ne serai pas le pigeon !

Elle posa ses lèvres humides sur celles de Spade et se serra doucement contre lui. Elle était dans ses bras quand le timbre de la porte sonna.

Spade, un bras autour des épaules de Brigid, ouvrit la porte du couloir. Dundy et Polhaus étaient là, avec deux autres flics.

— Hello, Tom, fit Spade. Ils sont faits ?

— Oui.

— Parfait. Entre. En voici une autre pour toi.

Il poussa Brigid en avant.

— Elle a tué Miles. J'ai un petit musée à te remettre : les flingues du morveux, celui de Cairo, une statuette noire qui a fait un sacré foin et un billet de mille dollars que j'ai reçu pour la boucler.

Il regarda Dundy, les sourcils froncés, se pencha pour examiner le visage du lieutenant et éclata de rire.

— Qu'est-ce qui lui prend à ton petit copain, Tom ? demanda-t-il. On dirait qu'il a le cœur brisé ! Ah ! je vois, bon Dieu ! En entendant l'histoire de Gutman, il a cru qu'il me tenait enfin !

— Ta gueule, Sam ! grommela Tom embarrassé, on n'a jamais...

— Tu parles ! insista joyeusement Spade. Il s'est amené ici l'eau à la bouche. Vous devriez pourtant me connaître assez pour savoir que je voulais coincer Gutman.

— Oh ! ferme ça ! reprit Tom louchant vers son supérieur. D'abord c'est Cairo qui a tenu le crachoir. Gutman est mort. Le gamin venait de lui régler son compte quand on s'est pointés.

— Ça lui pendait au nez, murmura Spade, hochant la tête.

*

Effie Perine, assise dans le fauteuil de Spade, posa son journal en sursautant quand le détective arriva le lundi matin, après neuf heures.

— Bonjour, mon chou, dit-il.

— C'est vrai... ce que raconte le canard ? demanda-t-elle.

— Oui, m'dame.

Il posa son chapeau sur le bureau et s'assit. Son visage était gris, mais apaisé ; les yeux, encore injectés de sang, étaient clairs.

Effie, une drôle de moue sur les lèvres, le fixait de ses yeux marron dilatés.

Il leva la tête et dit d'un air moqueur .

— Autant pour ton intuition féminine !

— Tu lui as fait ça, Sam ? dit-elle d'une voix qui, comme l'expression de son visage, avait quelque chose de bizarre.

Il fit oui de la tête.

— Ton Sam est détective, répondit-il.

Il lui lança un regard pénétrant et la prit par la taille, une main plaquée sur sa hanche.

— Elle a descendu Miles, mon chou. Comme ça ! ajouta-t-il avec un claquement de doigts.

Elle se dégagea comme s'il lui avait fait mal.

— Ne me touche pas, cria-t-elle. Je sais, je sais que tu as raison, mais ne me touche pas — pas maintenant !

Le visage de Spade devint aussi pâle que son col de chemise.

La poignée de la porte d'entrée tourna. Effie se précipita, tirant la porte du bureau derrière elle. Elle revint et la referma soigneusement.

— C'est Iva, murmura-t-elle.

Spade, les yeux baissés sur son bureau, fit un signe de tête imperceptible.

— Oui, fit-il. (Il eut un frisson.) Eh bien, fais-la entrer !

FIN

DU MÊME AUTEUR

Aux Éditions Gallimard

LA CLÉ DE VERRE [1932], Folio Policier (N° 17)

LA MOISSON ROUGE [1932], Folio Policier (N° 38)

SANG MAUDIT [1933], Collection Série Noire (N° 74)

L'INTROUVABLE [1934], Carré Noir (N° 246) et Folio (N° 1898)

LE FAUCON DE MALTE [1936], Folio Policier (N° 50)

LE GRAND BRAQUAGE [1968], Carré Noir (N° 336)

PAPIER TUE-MOUCHES [1968], Folio Policier (N° 251)

LE SAC DE COUFFIGNAL [1968], Folio Policier (N° 169)

LE DIXIÈME INDICE ET AUTRES ENQUÊTES DU
« CONTINENTAL OP », (Carré Noir (N° 366) et Folio (N° 1802)

LE FAUCON DE MALTE – SANG MAUDIT – LE GRAND
BRAQUAGE [1987], Bibliothèque Noire

Impression Bussière Camedan Imprimeries
à Saint-Amand (Cher),
le 29 août 2002.
Dépôt légal : août 2002.
1ᵉʳ dépôt légal dans la collection : janvier 1999.
Numéro d'imprimeur : 023965/1.
ISBN 2-07-040799-3./Imprimé en France.